Geronimo Stilton

Chroniques des Mondes Magiques

La Quête du Royaume Perdu

ALBIN MICHEL JEUNESSE

VERS LES VALLÉES
CLAIRES
LAC DU REFLET
DE L'ÉTOILE
COL DES
NUAGES PÂLES
VIEILLE MAISON
DU DÉSERT
DÉSERT DU VENT
MONTS DE LA FAUX D'ARGENT
COUR
D'AUREASTELLA
VERS LES VALLÉES
SOMBRES

ROYAUME DES ÉTOILES
PORTAIL DE JADE
GROTTE OBSCURE
RIVIÈRE RIDÉE
PONT DES CAILLOUX RONDS
LA COUPOLE
BOURG DES MAISONS AUX TOITS POINTUS
VALLÉE DES ÉTOILES FILANTES
TAVERNE DES TROIS LUNES

Texte de Geronimo Stilton.
Basé sur une idée originale de Elisabetta Dami.
Collaboration éditoriale de Michela Monticelli.
Coordination éditoriale de Patrizia Puricelli.
Édition de Daniela Finistauri.
Rédaction et mise en pages du Studio Editoriale Littera.

Coordination artistique de Roberta Bianchi.
Assistance artistique de Tommaso Valsecchi.
Illustrations de couverture de Iacopo Bruno.
Illustrations intérieures de Danilo Barozzi.
Thème du roman graphique de Tommaso Valsecchi.
Illustrations du roman graphique de Stefano Turconi.
Carte de Carlotta Casalino.

Graphisme de Michela Battaglin.
Traduction de Théodore Mousefeather.

www.geronimostilton.com

Loi n° 49-956 du 16 juillet 1949 sur les publications destinées à la jeunesse
Dépôt légal : second semestre 2009
N° d'édition : 18472
N° d'impression : 09-2630
ISBN-13 : 978-2-226-19209-7
Imprimé en France par Normandie Roto Impression s.a.s. et SIO

Personnages principaux

OMBRAGE
Jeune et courageux Elfe des Forêts qui, à la demande de la Reine des Fées, entreprend d'aller combattre l'Obscur Pouvoir de la Reine Noire et de rétablir la paix au royaume de la Fantaisie.

ERIDANUS
Père de Regulus et Spica. C'est l'astronome de la Cour du royaume des Étoiles.

SPICA
Sœur de Regulus, cette vaillante Elfe Étoilée quitte sa famille pour aider Ombrage dans sa mission. Elle se bat avec un arc magique.

MÉROPE
Nourrice de Regulus et Spica qui a élevé les deux jeunes gens après la mort de leur mère.

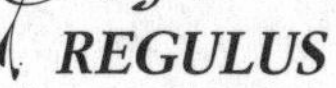

REGULUS
Frère de Spica et meilleur ami d'Ombrage. Il accompagne l'Elfe des Forêts au royaume perdu pour lutter à ses côtés.

ROBINIA

Elfe des Forêts fière et têtue, elle est l'héritière légitime du trône du royaume des Forêts.

SOUFRETIN

Sympathique petit dragon à plumes du royaume des Forêts, inséparable compagnon de Robinia.

BRUGUS

Fier et valeureux Elfe qui dirige l'armée des Forestiers. Il combat sans trêve pour la liberté de son peuple.

ULMUS

Vieille sage du royaume des Forêts. Elle est la dépositaire de la mémoire de son peuple.

JUNIPERUS

Maître de la Cour du royaume des Forêts. Il mourut après l'invasion de son pays, laissant d'énigmatiques prophéties.

LE CHASSEUR

Mystérieux Elfe qui vient en aide aux Chevaliers sans Cœur. Personne ne connaît son origine ni sa véritable mission.

STELLARIUS

Puissant mage du royaume de la Fantaisie qui, depuis toujours, combat l'Obscur Pouvoir et la Reine Noire.

«Il fut un temps, un temps très éloigné,
où le suave chant des Fées ne résonnait
pas dans les vallées, sur les mers et
sur les montagnes, apportant la paix et la prospérité
dans les royaumes qui s'étendent sous le ciel parsemé
d'étoiles. Ce fut une époque obscure pour le royaume
de la Fantaisie, une époque dont peu de personnes se
souviennent aujourd'hui et que moins de personnes
encore osent raconter. J'entreprends d'écrire
l'histoire de ces temps sombres, désolés
et glorieux, pour que le souvenir de ces
événements ne soit pas perdu et pour que,
dans les jours heureux des époques à venir,
on puisse se les rappeler et tirer
les enseignements du passé : il ne faut
jamais oublier le courage, pas plus qu'il
ne faut oublier que la force du cœur est
la plus grande de toutes. Car le mal ne
se met jamais en sommeil… »

Mage Fabulus, *Chroniques du royaume*
de la Fantaisie, introduction au Livre Premier.

INTRODUCTION

En des temps très, très reculés, le royaume de la Fantaisie était une vaste terre sans frontières. Des peuples divers y habitaient et l'on y comptait autant de royaumes qu'en peut imaginer la fantaisie.

Ils étaient toutefois séparés par de grandes distances. Si grandes que, pour aller d'un royaume à l'autre, il fallait recourir à de gigantesques Dragons. C'est précisément pour relier entre elles les régions éloignées du royaume de la Fantaisie que les Fées, sous la sage conduite de la Reine Floridiana, construisirent des Portails à l'orée de chaque royaume.

Mais, alors que les Fées les avaient créés pour favoriser la paix, le savoir et l'harmonie, les Sorcières, dans leur petit royaume sombre, voulurent en profiter pour étendre le domaine du Mal.

C'est ainsi que commencèrent les Temps Obscurs.

Les uns après les autres, les royaumes qui entouraient celui des Sorcières tombèrent sous le joug du Mal, tandis que, dans le reste du royaume de la Fantaisie, les peuples continuaient de vivre inconscients du danger qui les menaçait.

Au royaume des Elfes Étoilés, un peuple gai et pacifique, on refusa de tenir compte des nombreux signes qui annonçaient l'expansion constante et souterraine du Mal.

Ce qui devait arriver arriva, et personne ne put l'empêcher, personne ne tenta même de le faire.

Par une sombre nuit d'orage, le Portail qui conduisait au royaume des Elfes des Forêts se referma et fut perdu à jamais.

Pendant des années, on ne sut rien de ce qu'il était advenu du malheureux peuple des forêts, on ne sut rien de ce qui se passait dans son royaume.

Mais, un jour, un petit groupe de héros eut le courage et la force d'affronter l'Armée Obscure.

Ce récit est leur histoire, telle qu'on peut encore la lire dans les anciens volumes des *Chroniques du royaume de la Fantaisie*, où le mage Fabulus, le plus grand narrateur du royaume, l'a consignée de sa main.

Écoutez donc…

PREMIÈRE PARTIE

La Coupole

1
OMBRAGE

Depuis bien des années, le sentier qui menait du Bourg des Maisons aux Toits Pointus au chemin de l'autre côté de la Rivière Ridée était envahi par les ronces et les orties, comme s'il voulait se faire oublier. Pourtant, sous la végétation touffue, on distinguait encore les dalles grises qui conduisaient au vieux Portail donnant accès au royaume des Elfes des Forêts.

Personne n'aimait aller de ce côté.

Personne, sauf un garçon qui était, il est vrai, un peu « étrange ». Autrefois, son nom était Audace, mais, désormais, tout le monde l'appelait Ombrage.

On avait raconté beaucoup d'histoires sur sa mystérieuse arrivée dans le royaume des Elfes Étoilés : c'était l'année de l'Étoile Jaune, il avait alors quatre ans.

Si on l'avait surnommé Ombrage, c'est non seulement parce qu'il avait des yeux et des cheveux d'un vert intense, mais aussi en raison de son caractère timide et taciturne.

Les Elfes du royaume des Étoiles sont des créatures pleines de gaieté, qui aiment rire, déclamer des poèmes et inventer des histoires. Ombrage, lui, n'avait rien de joyeux, il n'était pas facile à dérider et, après son arrivée à la Coupole, la maison-observatoire d'Eridanus, l'astronome de la Cour, cinq longues années s'étaient écoulées avant que l'on puisse fêter son premier éclat de rire.

En effet, les Elfes Étoilés avaient l'habitude de célébrer par une grande fête le premier éclat de rire de chaque enfant, car ils disaient que cela donnait naissance à une étoile.

Regulus et Spica, les enfants d'Eridanus, avaient longtemps essayé d'arracher un rire à Ombrage, et ils avaient fait perdre la tête à leur père, à leur nourrice Mérope et à tous les habitants de la maison avec leurs ruses aussi ingénieuses qu'hilarantes, mais en vain. Dans la maison-observatoire, tout le monde se demandait si le petit réussirait un jour à surmonter sa tristesse.

Il avait grandi, mais n'avait rien perdu de sa singularité : aux fêtes de la ville, Ombrage préférait le silence des bois, aux plaisanteries avec des amis les longues promenades au bord de la rivière Ridée, aux grands manèges brillants, aux fêtes foraines et aux marchés où résonnaient mille voix, il préférait la quiétude des forêts d'érables – et plus

encore à l'automne, lorsqu'elles se transformaient en massifs dorés.

Il aimait les histoires, mais au lieu de rivaliser avec ses camarades pour en inventer et en raconter de nouvelles, il préférait les écouter.

Quand la jeune Spica avait demandé à son père les raisons de cette singularité, Eridanus avait simplement répondu que le garçon était comme ça, et il avait haussé les épaules, comme s'il avait renoncé à comprendre. Ou comme s'il avait eu connaissance de quelque chose que les autres ne devaient pas savoir.

Eridanus se rappelait parfaitement le jour où il avait trouvé le petit Audace sur le seuil de la Coupole, avec ses habits verts comme la mousse et gris comme l'écorce des arbres, son manteau déchiré et roussi couleur de la terre, ses cheveux vert sombre qui pendaient, entortillés sur son front, et ses grands yeux verts d'une profonde gravité.

Cela s'était passé le jour de cet orage effroyable qui avait failli démolir la Coupole. Le jour même où il avait cru entendre, au-delà de la Rivière Ridée, résonner un cri de rage et de désespoir.

Eridanus avait voulu aller voir si quelqu'un avait besoin d'aide, mais il avait été obligé de s'arrêter sur le seuil de sa maison, car il y avait trouvé Audace.

Cela faisait déjà longtemps qu'aucun Elfe des Forêts n'avait franchi le Portail, et il était étrange, plus qu'étrange, de trouver là, tout seul, ce petit Forestier !

Eridanus avait envoyé un message urgent à la Cour d'Aureastella, puis il était sorti. Et ce qu'il avait découvert sur la colline l'avait épouvanté. Le grand Portail, sculpté dans le bois de très vieux arbres, n'était plus qu'un enchevêtrement de branches noires et roussies.

On ne voyait plus, en son centre, le miroir luisant que grand-père Orion se vantait d'avoir traversé dans sa jeunesse, à l'occasion de ses nombreux voyages au royaume de la Fantaisie.

La pierre de jade enchâssée dans les branchages qui dessinaient le Portail n'était plus là.

Et, avec elle, le royaume des Elfes des Forêts avait été perdu. Disparu, comme les mille royaumes qu'on n'évoquait plus qu'en chuchotant, et qui étaient tombés sous l'Obscur Pouvoir des Sorcières. La Reine Noire avait comploté pour soumettre et détruire ce pacifique royaume !

Il n'y avait jamais pénétré que par l'imagination, mais, ce jour-là, Eridanus avait senti son cœur déchiré par le sentiment qu'il venait de perdre des frères et des amis très chers. Il n'avait pu s'empêcher de penser que, avec la fermeture brutale du Portail, les Forestiers s'étaient sacrifiés pour éviter que les Sorcières n'envahissent les royaumes limitrophes : ils avaient ainsi protégé les Elfes Étoilés.

Sur le chemin du retour à la Coupole, mille questions se pressaient dans son esprit. C'est alors qu'il avait rencontré Stellarius, un vieux mage très sage, conseiller personnel d'Antarès, le roi des Elfes Étoilés. Tous deux s'étaient enfermés dans le cabinet d'Eridanus et avaient passé la nuit à discuter de ces événements. Après quoi Stellarius était reparti aussi vite qu'il était venu, et la vie à la Coupole avait repris son cours normal. En apparence, du moins.

En accord avec le mage, Eridanus n'avait raconté à personne ce qu'il avait découvert sur la colline du Portail, et personne n'avait rien su de la visite du mage à la Coupole. Dans la mesure du possible, il avait caché la vérité et, avec le temps, lui-même avait cessé de s'interroger sur ce qui s'était passé cette nuit-là. Le Portail était resté fermé et portait encore l'empreinte noire du Mal.

Audace, le seul enfant qui ait survécu à la cruauté des Sorcières, n'avait plus personne au monde. Aussi Eridanus s'était-il engagé à l'accueillir à la Coupole et à l'élever comme son fils. Et maintenant, alors que onze printemps s'étaient écoulés depuis ce triste jour, l'heure de vérité approchait.

Ombrage n'avait guère changé, bien que, comme tous les jeunes Elfes de la lignée de l'Étoile, il ait reçu l'étoile au front. Plus le garçon grandissait, plus Eridanus voyait qu'il ressemblait à ces Elfes des Forêts dont grand-père Orion lui avait parlé.

Oh, certes, il souriait et plaisantait davantage ! Mais son sourire semblait parfois voilé de mélancolie et n'avait pas cette joie insouciante et légère des jeunes Étoilés. Ses cheveux lui retombaient sur le visage, qu'ils dissimulaient en partie, et ses yeux, d'un vert intense, étaient toujours d'une profonde gravité. En outre, c'était le meilleur chasseur de la région, et il connaissait les environs comme personne.

Regulus et Spica l'accompagnaient souvent dans ses vagabondages dans les forêts, comme s'ils avaient éprouvé pour lui cet attrait secret que, bien des années plus tôt, Eridanus, lui aussi, avait ressenti pour les amis Forestiers de grand-père Orion.

C'est ainsi que Mérope, la vieille nourrice, avait commencé à s'inquiéter. Eridanus se demandait si la nourrice avait remarqué l'amitié qui liait Ombrage et Regulus ou la curiosité timide avec laquelle la petite Spica regardait le jeune Forestier… Peut-être Mérope s'en était-elle aperçue et était-ce justement ce qui lui déplaisait.

Elle aimait certes Ombrage comme un fils, mais elle avait toujours trouvé bizarres ses silences et sa gravité.

Depuis la mort de Mizram, la femme adorée d'Eridanus, c'est elle qui s'était occupée des enfants et qui se sentait responsable de leurs choix. C'est pourquoi elle jetait sur Ombrage des regards glaciaux et désapprobateurs, espérant qu'il partirait le plus tôt possible. Eridanus, lui, se doutait que si Ombrage partait, la vie de ses enfants en serait bouleversée ; pour sa part, le départ de son fils adoptif lui déchirerait le cœur. Mais chaque jour qui passait les rapprochait de la séparation, qu'il serait impossible d'éviter. Cela, il le savait bien.

Ombrage était arrivé à la Coupole un peu avant la Fête de la Mi-Printemps et il repartirait probablement à la même période.

C'est à cette époque, en effet, le long du sentier qui conduisait du Bourg des Maisons aux Toits Pointus au chemin de l'autre côté de la Rivière Ridée, que les choses commencèrent à changer. Tous les grands changements commencent par de petits pas, et c'est ainsi que débuta cette aventure.

Grâce à une pie et à une barrette à cheveux…

2

Le Portail

Les rayons d'un chaud soleil de printemps caressaient la cime des arbres, tachetant la forêt d'ombres. Sur les plus hautes branches, les oiseaux gazouillaient dans la brise tiède et légère.

Ombrage marchait sur le sentier en direction du Pont des Cailloux Ronds, un sourire aux lèvres.

Soudain, il s'arrêta et se retourna en soupirant.

– Sortez donc, je sais que vous êtes là ! dit-il en regardant fixement un épais buisson, qui semblait pareil à tous les autres.

Quelque chose bougea à l'intérieur du buisson.

– Oh, et puis zut… Ce n'est pas drôle du tout ! protesta Regulus.

– Je te l'avais dit. C'est très dur de surprendre un Forestier. En plus, il connaît ce sentier comme sa poche… intervint Spica en brossant ses habits couverts de terre.

Elle disparut un instant derrière le buisson et revint en portant un panier d'osier.

Ombrage éclata de rire.

Spica lui lança un regard de complicité, et la joie illumina de nouveau son visage. Puis, poussant un soupir de résignation, elle murmura :

– Tu es vraiment impossible !

– Ça devait être une surprise… expliqua Regulus en donnant une tape sur l'épaule de son ami, tandis qu'ils reprenaient leur marche en direction du pont.

– Une surprise ? Pour quoi ? demanda Ombrage.

– Par toutes les étoiles du ciel ! Il ne se rappelle même pas que c'est son anniversaire ! Qu'est-ce qu'il peut bien y avoir dans cette tête dure comme du bois ? Mérope a passé toute la journée d'hier à préparer ce pique-nique et la fête de ce soir… et toi, tu ne te souviens même pas que c'est ton anniversaire !

– Regulus ! gronda sa sœur.

– Qu'y a-t-il ?

– Tu n'aurais pas dû lui dire, pour ce soir ! C'était une surprise ! bougonna Spica.

– Je croyais que Mérope cuisinait pour la Fête de la Mi-Printemps… murmura Ombrage.

Bien que nul ne sache quel était le jour exact de son anniversaire, on l'avait toujours fêté en cette période, qui correspondait à celle de son arrivée à la Coupole, juste dix jours avant la Fête de la Mi-Printemps.

– Elle ne va pas être contente quand elle découvrira que nous avons gâché la surprise ! repartit Spica en cachant le panier d'osier derrière son dos.

– Bah, si c'est tout ce qui vous inquiète, elle n'en saura rien, déclara Ombrage. Je vous le promets. Jamais Mérope n'aura vu un Elfe plus surpris que moi !

Puis il sourit et changea de sujet.

– Où voulez-vous vous arrêter ?

– Dans un bel endroit au bord de la rivière ! s'exclama Spica.

Regulus soupira.

– Il ne faudrait pas que ce soit trop loin, je commence à avoir faim !

Ombrage les conduisit à un endroit où la clairière herbeuse formait une petite anse au bord de la rivière ; l'eau était plus calme et l'on jouissait d'une belle vue sur le Pont des Cailloux Ronds. Mais, de l'autre côté de la rivière, on apercevait la menace des collines. Le vieux sentier qui menait au Portail se distinguait à peine, et même Spica, qui avait toujours été impressionnée par cette colline, ne la considéra pas ce jour-là comme un danger. Au contraire, elle s'activa à apprêter le pique-nique et sortit du panier toutes les victuailles qu'avait préparées Mérope.

Le temps s'écoula rapidement. Les jeunes gens plaisantèrent, rirent, mangèrent, s'allongèrent au soleil et chantèrent – même Ombrage joignit sa voix au chœur.

L'après-midi était bien avancé lorsque quelques nuages se massèrent à l'ouest et que la lumière du soleil fut éclipsée derrière un rideau grisâtre. Les jeunes gens, qui étaient jusque-là restés allongés dans l'herbe fraîche, se levèrent à contrecœur.

– Mieux vaut rentrer… dit Regulus, pensif, en observant le ciel. Apparemment, la pluie ne va pas tarder à venir nous saluer !

– Ce n'est tout de même pas parce que vous m'avez fait chanter ? plaisanta Ombrage.

Regulus éclata de rire.

– Ne sois pas idiot. Tu n'as presque pas chanté faux !

– Il ne peut pas pleuvoir ! protesta Spica.

– Ce ne seront que deux gouttes, tu verras, dit Ombrage pour la rassurer. Mais il vaut mieux rentrer.

La jeune fille acquiesça en soupirant, se leva et s'étira.

– J'aimerais vraiment savoir, se moqua Regulus, pourquoi personne ne m'écoute quand je dis « Mieux

vaut rentrer », alors qu'on obéit sur-le-champ si Ombrage prononce les mêmes mots !

Spica rougit, mais s'empressa de répliquer :

– C'est simplement parce qu'Ombrage connaît la colline mieux que nous.

Regulus haussa les épaules, d'un air ironique.

– Je me trompe ou tu as rougi ?

Elle soupira.

– Je n'ai pas rougi !

– Si… Regarde-toi !

– Je te dis que non !

– Si, je t'assure. N'ai-je pas raison, mon ami ? poursuivit Regulus sur le ton de la plaisanterie.

Ombrage fixa intensément Spica et la jeune fille éclata avant qu'il ait pu répondre.

– Arrêtez ! Je n'ai absolument pas rougi et, si vous continuez à vous moquer de moi, je rougirai, mais ce sera de colère ! Et je ne vous conseille pas d'essayer !

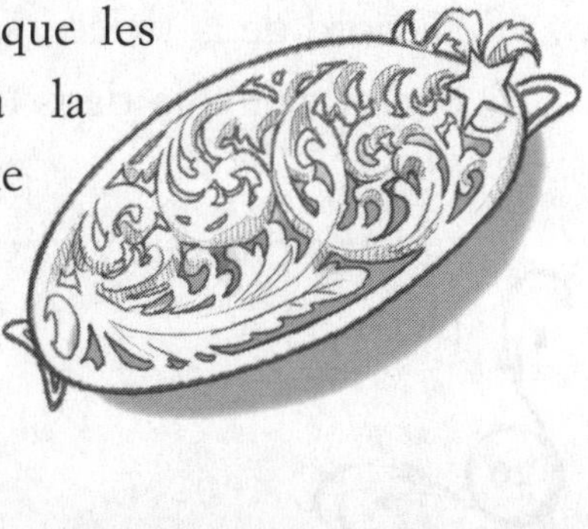

Elle tourna les talons et se dirigea vers la rive pour arranger ses cheveux pendant que les deux garçons continuaient à la taquiner. Elle retira sa barrette de nacre et la posa sur un galet, puis elle se mira dans l'eau et dut reconnaître que son visage était rouge comme une pivoine !

Elle se mordit la lèvre inférieure, puis, en soupirant, plongea les mains dans l'eau fraîche et les appliqua sur ses joues : on aurait dit qu'elles étaient en ébullition.

Depuis quelque temps, elle était toute bizarre quand elle était près d'Ombrage, et tout cela commençait à être fort embarrassant. D'autant que son frère n'arrêtait pas de se moquer d'elle. Ombrage, elle en était certaine, ne s'était pas aperçu de ses sentiments. Et elle ne voulait pas qu'il s'en aperçoive.

Car Mérope avait raison. Un jour ou l'autre, Ombrage repartirait, en quête d'aventures, comme faisaient tous les Elfes des Forêts dans les histoires de grand-père Orion.

Alors, son cœur se briserait.

– Attention !

Le cri de Regulus la tira de ses pensées et Spica se retourna brusquement.

Une pie, qui venait de se poser en silence sur les galets au bord de la rivière, saisit la barrette de nacre dans son bec et s'envola dans un tourbillon de plumes blanc et noir.

– Ma barrette ! s'écria Spica en bondissant sur ses pieds.

Mais la pie s'enfuit et se posa sur le pont, scrutant la jeune fille de ses petits yeux malicieux.

Regulus et Ombrage s'élancèrent à la poursuite de la voleuse : ils savaient que Spica tenait beaucoup à cette barrette, qui avait appartenu à sa mère.

C'est le jeune Forestier qui arriva le premier, mais la pie s'envola, traversa la rivière et alla se cacher dans les arbres de l'autre rive.

Les deux garçons la suivirent presque sans réfléchir, oubliant le panier, Spica et la pluie qui menaçait.

Remontant le vieux sentier en courant, ils parvinrent bientôt à mi-pente de la colline et s'arrêtèrent pour reprendre leur souffle.

– Tu la vois ? demanda Regulus en scrutant les alentours.

Ombrage secoua la tête, mais, à cet instant précis, il aperçut une lueur et repartit dans cette direction.

– Elle va déposer le butin dans son nid. Si nous la trouvons, nous devrons attendre qu'elle s'en aille pour récupérer la barrette, murmura-t-il.

Regulus suivit son ami. Ils avancèrent lentement,

apercevant tantôt une aile, tantôt les plumes de la queue, tantôt un reflet de la barrette.

Ils remontèrent le sentier jusqu'à une clairière. Alors seulement ils se rendirent compte qu'ils étaient devant ce qui, autrefois, avait été le Portail donnant accès au royaume des Elfes des Forêts, le royaume perdu.

– Par toutes les étoiles filantes ! s'exclama Regulus, incrédule.

Il n'était jamais allé jusque-là.

Le bois du Portail était brûlé et fissuré, comme s'il avait été frappé par la foudre. Aux alentours, tout semblait mort. Quelques branches étaient tassées dans un cadre vide, douloureusement tordues, comme si elles avaient essayé de protéger la pierre du Portail avant qu'elle ne soit emportée et perdue.

À la vue des arbres morts, Regulus ne douta pas que ce fût là l'œuvre des Sorcières. Une haleine froide, mauvaise, semblait encore émaner du squelette du Portail – on la percevait très clairement, comme une trace impossible à effacer.

Ce n'est qu'au bout de quelques instants qu'il regarda Ombrage. Lui aussi s'était arrêté, pâle et immobile comme le squelette d'un arbre, et il paraissait incapable de détourner les yeux de ce spectacle.

Dans un mouvement d'amertume, Ombrage cligna des paupières et murmura :

– Il n'est pas mort…

– Comment cela ? balbutia Regulus sans comprendre.

– Il y a des bourgeons sur ces branches… Il n'y en a pas beaucoup, mais ce sont bien des bourgeons ! reprit Ombrage en s'approchant de l'arbre.

Il fallut quelques instants à Regulus pour constater que le jeune Forestier avait raison. Il lui sembla alors que quelque chose avait changé cet après-midi-là.

Pas seulement pour Ombrage, mais aussi pour lui.

Et pour Spica.

À ce moment, il entendit des pas derrière lui. Il se retourna et vit sa sœur qui fixait le Portail en écarquillant les yeux. C'était comme si l'étoile qui avait toujours brillé sur son front s'était brusquement assombrie. Ses yeux étaient tristes, troublés.

Dans le ciel, un roulement de tonnerre retentit. La pie qui les avait conduits jusque-là avait disparu.

3

LE NID

n vent glacial agitait les feuilles des arbres qui entouraient la clairière, murmurant un sinistre avertissement.

– Rentrons, balbutia Spica.

C'est à peine si sa voix tremblante, brisée, était perceptible, et seul son frère l'entendit. Il se retourna vers elle, et la jeune fille eut l'impression que Regulus était aussi triste et troublé qu'elle. Cependant, comme si cette pensée venait seulement de lui effleurer l'esprit, son frère lui demanda :

– Et ta barrette ?

Spica serra les lèvres et secoua la tête.

– Peu importe la barrette, se força-t-elle à dire.

Et elle se sentit plus forte après avoir dit ces mots que, un instant plus tôt, elle n'aurait jamais pensé prononcer.

– Ce n'est qu'une barrette, ajouta-t-elle en baissant les yeux, et cet endroit me glace le sang dans les veines…

– Ne sois pas sotte. De toute façon, nous y sommes presque : voici le nid ! intervint Ombrage.

Sa voix surprit la sœur et le frère comme un grondement de tonnerre dans un ciel bleu. Le garçon fit quelques pas en direction du Portail noirci et s'arrêta, regardant en l'air.

– Que fais-tu ? demanda Regulus, en se raidissant.

– Je vais jeter un coup d'œil, murmura Ombrage.

Le regard de Regulus fouilla un moment entre les branches desséchées avant de distinguer le nid de la pie.

Il s'approcha du Portail sur la pointe des pieds et constata :

– C'est trop haut.

– Nous ne savons même pas si c'est le bon nid… Allons-nous-en ! ajouta Spica.

– Et puis le bois de cet arbre est tout vermoulu et il n'y a pas de points d'appui, dit Regulus en fronçant les sourcils.

– Au contraire, il y a plein de points d'appui, remarqua calmement Ombrage en observant le tronc.

Il fit un pas en avant et se mit à escalader le vieil arbre.

Les deux Elfes le regardèrent faire.

Il semblait né pour grimper aux arbres. Il l'avait toujours été, de même que les Elfes Étoilés semblaient

nés pour chanter et raconter des histoires. Mais, ce jour-là, il y avait quelque chose de nouveau en lui, quelque chose d'insaisissable et de résolu. Regulus songea que la raison de cette ténacité n'était pas seulement la barrette de sa sœur, mais que cela avait à voir avec le Portail, avec ces bourgeons et l'espoir qu'ils représentaient. En moins de temps qu'il n'en faut pour le dire, Ombrage était déjà arrivé assez haut pour inspecter l'intérieur du nid.

Un instant encore, et il y plongea la main.

Une nouvelle rafale agita les branchages autour de la clairière, et Spica ferma les yeux en retenant ses larmes.

– C'est fini, maintenant !

La voix d'Ombrage était soudain tout près.

Il était redescendu à terre, et se tenait là, devant elle.

La jeune fille leva les yeux et croisa les siens, souriants, sereins.

– Il n'y avait aucune raison d'avoir peur. Voici ta barrette, dit le garçon.

Spica tendit la main et reprit la barrette, mais elle ne la remit pas dans ses cheveux et ne parvint pas à sourire. Au contraire, elle sentit une goutte qui coulait sur sa joue. Puis une autre. Et une autre encore.

– Il commence à pleuvoir ! s'exclama Regulus.

– Rentrons, ou Mérope va me disputer parce que je vous aurai fait mouiller et elle ne me donnera même pas à manger pour mon anniversaire ! déclara Ombrage.

La sœur et le frère le suivirent sur le sentier, silencieux mais rassurés de le voir aussi tranquille.

Abrités sous les rochers du Pont des Cailloux Ronds, ils attendirent que l'orage soit passé, puis ils rentrèrent chez eux.

Ce soir-là, ils fêtèrent tous ensemble l'anniversaire d'Ombrage, mangeant, chantant et racontant des histoires jusqu'à une heure avancée. Puis ils allèrent dormir.

Mais Ombrage ne parvint pas à fermer l'œil de la nuit.

Il était allé très souvent à la clairière du vieux Portail, sans avoir jamais rien vu de semblable. Il s'assit à la fenêtre de sa chambre et attendit qu'apparaisse la lueur de la belle Sirius que voilait un nuage sombre. Le jour où on lui avait imposé son étoile, c'est justement Sirius, l'Étoile Resplendissante, qu'avait choisie pour lui le mage Stellarius, afin qu'elle éclaire son chemin.

Ombrage repensa aux bourgeons qu'il avait vus sur les branches du Portail. Il était habitué à la vue du bois brûlé, et il n'avait jamais vu de bourgeons sur ces branches.

Qu'est-ce que tout cela pouvait bien signifier ?

Et que signifiait ce qu'il avait trouvé dans le nid de la pie ? Le garçon plongea la main dans sa poche et soupira.

À cette heure de la nuit, le silence était raide comme un mur. Il lui sembla que, sans la lumière de l'Étoile Sirius, l'obscurité était plus épaisse, plus dense, mais elle ne lui paraissait pas hostile. Il éprouvait même une sensation de sécurité dans la lueur indéfinissable qui entourait l'étrange œuf de pierre qu'il tenait au creux de la main.

Quand il l'avait découvert, à côté de la barrette de

Spica, il avait cru que c'était un œuf, un très banal œuf de pie. Mais, au bout d'un instant, il s'était rendu compte qu'il était recouvert de minuscules cristaux gris et verts. Et il aurait presque juré qu'il avait vu un éclat provenir du cœur de l'œuf quand il l'avait effleuré.

Il referma les doigts autour de cet étrange trésor et sentit une chaleur vitale et palpitante. Quelque chose, au plus profond de lui, lui disait qu'elle était plus précieuse encore qu'il n'y semblait.

Il la replaça dans sa poche, puis ferma les yeux pour réfléchir aux innombrables questions qui tournoyaient dans sa tête et pour lesquelles il n'avait pas de réponses.

Et si cette pierre insolite était celle qui permettrait de rouvrir le Portail du royaume perdu, de *son* royaume, de l'endroit qu'avait anéanti la cruauté de la Reine Noire, à qui personne n'avait pu résister ?

Colère et douleur se mêlèrent de nouveau dans son esprit lorsque Ombrage se demanda s'il restait encore là-bas quelque chose à sauver. Peut-être était-ce à lui d'agir, malgré ses peurs, malgré les dangers et les privations qu'il aurait à endurer. Pour commencer, il lui faudrait quitter la

Coupole, qui était devenue son foyer. Quitter Eridanus, qui était comme un père pour lui, Regulus, qu'il avait toujours considéré à la fois comme un frère et un ami, et Spica. La lumineuse Spica aux yeux de ciel…

4
Regulus

Les jours suivants, il sembla que l'hiver était de retour et les jeunes gens passèrent beaucoup de temps à la Coupole, aidant Mérope dans les travaux domestiques, étudiant et racontant des histoires, en attendant que les nuages se dispersent.

Puis, comme il arrive souvent en cette saison aux mille facettes, le temps changea brusquement.

Quand Regulus se leva, la veille de la Fête de la Mi-Printemps, il n'en crut pas ses yeux. Il se glissa hors de son lit et se précipita à la fenêtre, pour laisser entrer le parfum des premières fleurs et l'odeur des galettes qu'avait préparées Mérope. Il s'habilla en hâte et descendit à l'étage inférieur.

Il était tôt et sa sœur dormait encore, tandis qu'Ombrage s'était déjà éclipsé pour l'une de ses promenades matinales. Mais, ce jour-là, il eut l'impression de savoir où était allé le Forestier.

Il l'aurait parié, il avait dû retourner au Portail…

Regulus prit deux galettes encore chaudes, mit une poignée de pruneaux dans sa poche et sortit.

Il trouva Ombrage là où il avait soupçonné qu'il était.

Il était assis en tailleur devant le vieux Portail et paraissait très loin, perdu dans ses réflexions.

– Ce n'est pas la première fois que tu viens ici, n'est-ce pas ?

Ombrage secoua la tête.

– Pourquoi n'en as-tu jamais parlé ? demanda Regulus en s'asseyant à côté de son ami.

Ombrage hésita.

– Je ne sais pas… dit-il enfin.

Regulus sourit, mélancolique.

– Peut-être était-ce que je ne voulais faire de mal à personne… Je suis bien à la Coupole, mais parfois… parfois… hésita Ombrage en cherchant ses mots.

Regulus termina la phrase pour lui :

– Parfois tu es loin… derrière ce Portail, dit-il calmement, en regardant l'enchevêtrement des branches noircies.

Ombrage acquiesça :

– Je suis désolé.

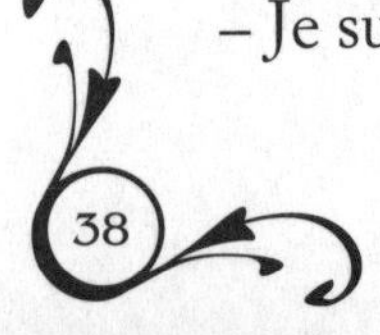

– Et pourquoi donc ? J'imagine que j'agirais de la même façon si j'étais de l'autre côté, tout seul… et si je ne savais rien de ce qui est arrivé à mon père, à Spica et à mon royaume…

Après une longue pause, Ombrage se décida à demander :

– Et toi, que sais-tu de la pierre qui ouvrait le Portail ?

Regulus tourna la tête, observa son ami, essayant de rassembler ses souvenirs.

– Eh bien, elle a été perdue quand le Portail a été détruit, et personne ne sait ce qui est advenu. Tout ce que je peux dire, ajouta-t-il avec gravité, tu le sais aussi bien que moi. C'est ce que raconte mon père, je ne peux que répéter ses paroles : « C'était une pierre de jade merveilleuse, pure et scintillante. Ses reflets avaient le vert du printemps et une parfaite forme ovale. Quand quelqu'un franchissait la porte, un intense éclat vert illuminait la clairière, on aurait dit une étoile tombée du ciel sur la colline… »

Regulus s'interrompit, curieux.

– Tu aimerais la trouver, n'est-ce pas ?

Ombrage continua à contempler le ciel.

– Nombreux sont ceux qui affirment qu'elle a été détruite.

– On dit tant de choses ! Tout n'est pas vrai.

Les deux garçons se turent pendant un long moment, puis Regulus reprit :

– De toute façon… que ferais-tu, si tu trouvais la pierre de jade du Portail ? Le royaume voisin est entre les mains des Sorcières et, si tu ouvrais le Portail, cela mettrait en danger le royaume des Étoiles…

Ombrage contracta les muscles de son visage en une étrange grimace. Il regarda derrière lui, en direction de la Coupole, et Regulus comprit que son ami avait déjà réfléchi à tout cela.

– Tu crois que ces bourgeons sont une espèce de… signal, n'est-ce pas ? Moi, il me semble que cet enchevêtrement de branches est bel et bien mort, dit Regulus en haussant les épaules.

Ombrage se tourna vers son ami.

– Pourtant, il n'y a pas si longtemps, on ne voyait là aucun de ces bourgeons… Tout était gris et noir, mais, aujourd'hui, c'est différent. Cette branche, derrière, celle où la pie a bâti son nid, elle vit ! Elle est épuisée, elle est peut-être faible, mais elle vit. La sève circule sous son écorce grise, répéta-t-il, presque incrédule.

Regulus était frappé par son ton décidé et acquiesça en souriant.

– Je ne t'avais jamais vu aussi exalté ! Mais, pour

l'instant, il ne s'agit encore que d'une vague possibilité : que la pierre de jade n'ait pas été détruite et qu'on la retrouve.

– Je sais, répondit Ombrage.

Alors, il plongea la main dans sa poche, et Regulus vit qu'il en sortait quelque chose qu'il serrait dans ses doigts.

– Qu'est-ce que c'est ? demanda-t-il en le regardant fixement, et, en posant cette question, il sentit son estomac se contracter.

– J'aimerais bien le savoir moi-même… murmura Ombrage en ouvrant les doigts. Mais je ne peux m'empêcher de penser que je pourrais bien avoir trouvé la pierre !

Pendant un long moment, les yeux de Regulus étudièrent attentivement l'objet que son ami tenait dans la main.

– On ne dirait pas du jade, dit-il enfin, même si ça a des reflets verts… Cependant je dois reconnaître qu'il est rare de voir une pierre d'une forme aussi parfaite.

Ombrage acquiesça.

– Je sais qu'on ne dirait pas du jade, mais ses dimensions correspondent exactement à celles de la pierre.

– Où l'as-tu trouvée ? Et quand ?

– Dans le nid de la pie.

– La pie ? dit Regulus en éclatant de rire. Elle a pu voler cette pierre n'importe où !

– Oui, mais son nid pouvait aussi être la cachette idéale. Là, personne n'aurait pu mettre la main sur la pierre facilement…

– Attends, attends ! Je vois où tu veux en venir ! Mais tu ne me feras pas croire qu'elle est restée là tout ce temps en attendant que quelqu'un se réveille un matin et vienne la prendre ! s'exclama Regulus, un peu agacé.

Il ne savait pas pourquoi il avait répondu sur ce ton. Peut-être était-ce parce que son ami ne lui avait jamais parlé de cela auparavant. Peut-être était-ce parce qu'il ne lui avait pas montré la pierre au moment où il l'avait trouvée. Ou peut-être simplement parce que cela signifiait que le moment que tous redoutaient était arrivé : un matin, Ombrage se réveillerait et partirait, seul, pour essayer de retrouver son monde perdu. Et il ne reviendrait plus jamais à la Coupole.

– Je sais que ça paraît absurde, mais crois-moi… essaya de dire Ombrage.

– C'est bien ça. Absurde ! soupira Regulus.

– Tu ne t'es jamais demandé pourquoi j'étais le seul survivant de mon royaume ? interrogea le jeune Forestier.

– Quelqu'un a dû te sauver ! C'est tout. Et toi, au lieu

d'être reconnaissant au sort et de vivre paisiblement, tu veux ruiner tous les efforts de ceux qui se sont sacrifiés pour toi !

– Mais s'ils devaient sauver quelqu'un, pourquoi m'ont-ils choisi, moi ?

– Le hasard. La chance. Comment savoir ? répliqua Regulus en se levant.

– De toute façon, pourquoi imagines-tu que c'est à toi de faire quelque chose ? Et tout seul, qui plus est ! Si, vraiment, les Sorcières occupent le royaume perdu, ce n'est pas un Elfe tout seul qui pourra faire la différence ! murmura-t-il.

Ombrage se leva d'un bond et se planta devant Regulus, l'obligeant à le regarder dans les yeux.

– Tu crois que je suis heureux à l'idée de m'en aller vers un royaume que je ne connais pas ? dit-il sur un ton à la fois ferme et désespéré. C'est ici que sont les personnes et les choses que j'aime le plus au monde ! Mais… si je pouvais faire quelque chose pour mon royaume ? Si je *devais* faire quelque chose ? continua-t-il comme s'il se parlait à lui-même.

Regulus recula d'un pas, regardant fixement l'étoile au front de son ami.

– Tu crois que j'ai tort ? murmura Ombrage, tourmenté.

Au bout d'un long moment, Regulus sourit et secoua la tête, mélancolique.

– Je ne sais pas si tu dois le faire ou non, mais il semble que, pour toi, c'est important. Et je dois reconnaître que les bourgeons sur l'arbre et la pierre dans le nid de la pie sont d'étranges coïncidences… Je sais déjà ce que dira Spica quand nous lui raconterons toute cette histoire…

– Je préférerais que…

– Oui, moi aussi, je crois qu'il vaut mieux ne rien lui dire, pour l'instant en tout cas. Elle risquerait de fondre en larmes au moment de notre départ et ce serait…

– Nous allons partir ? le coupa Ombrage.

– Si nous découvrons que cette pierre de jade n'est pas celle du Portail, il faudra bien chercher la bonne, n'est-ce pas ? Et j'imagine que ce sera une longue aventure. Après quoi, nous irons faire un petit tour dans ton royaume, en espérant qu'il existe encore. Et cela prendra encore beaucoup de temps…

– Tu veux vraiment venir avec moi ? demanda Ombrage, en écarquillant les yeux.

– Évidemment ! s'exclama Regulus.

– Je ne peux pas te demander cela. Ça pourrait être bien plus dangereux que toutes les aventures que nous avons imaginées !

– C'est bien pour ça que tu ne peux pas y aller seul ! rétorqua Regulus. Je veux en être, moi aussi ! Et je n'attendrai sûrement pas que tu me le demandes. Je suis volontaire ! annonça-t-il d'un ton pompeux et avec une détermination inébranlable.

– Mais…

– Et si tu ne l'as pas encore compris, je n'accepterai pas de refus !

– Je…

– Alors nous sommes d'accord, conclut Regulus en tendant la main.

Cette fois, ce fut à Ombrage d'être surpris. L'étoile sur le front de Regulus lançait des étincelles éblouissantes et, quand il lui serra enfin la main, sa lumière dorée lui réchauffa le cœur.

Quelles que soient les difficultés qu'il allait devoir affronter, il savait maintenant qu'il pourrait compter sur Regulus comme sur lui-même. Quelles que soient les aventures qui l'attendaient, il ne serait pas seul.

Il se promit de tout faire pour que son ami rentre chez lui sain et sauf.

5
LA PIERRE DE JADE

– Et maintenant, rentrons à la maison ! s'exclama Regulus en souriant. J'ai une petite idée sur la manière de vérifier si c'est vraiment la pierre de jade, mais j'ai besoin du laboratoire de mon père pour nettoyer la pierre !

– Comment comptes-tu t'y prendre ? demanda Ombrage, en jetant un dernier regard au vieux Portail.

Regulus éclata d'un rire joyeux.

– Il suffit de se procurer un alambic et l'un des solvants que mon père utilise pour nettoyer les pierres de sa collection et, en moins de temps qu'il n'en faut pour le dire, nous saurons si cette pierre est bien le jade du Portail.

Les garçons rentrèrent chez eux et s'introduisirent furtivement dans l'observatoire, sans être vus ni de Mérope ni de Spica. Naturellement, le laboratoire d'Eridanus était fermé, mais Regulus savait où son père cachait sa clef.

– Il ne faudra pas oublier de la remettre en place… murmura Ombrage quand son ami revint en brandissant la clef.

Regulus donna un tour dans la serrure.

– De toute façon, nous ne faisons rien de mal… remarqua le jeune Étoilé.

– Dans ce cas, pourquoi le faisons-nous en cachette ?

– Parce que tu ne veux confier à personne tes soupçons à propos de cette pierre. Je me trompe ?

– Tu as raison… reconnut Ombrage.

Ils s'introduisirent dans le laboratoire et refermèrent la porte derrière eux. La pièce était plongée dans l'obscurité ; Regulus tourna une manivelle dont le frottement contre une pierre à fusil projeta une gerbe d'étincelles qui allumèrent une lampe. Une faible lueur se diffusa dans la pièce et Ombrage regarda autour de lui en soupirant.

– Nous avons besoin d'un solvant… C'est bien ce que tu as dit, n'est-ce pas ? demanda-t-il, accablé, parcourant du regard les étagères soutenant des centaines de fioles identiques.

Regulus se gratta un sourcil et soupira à son tour.

– … Bah, je reconnais que j'ai peut-être un peu sous-évalué l'étendue des provisions de mon père, mais je n'ai aucunement l'intention de me laisser décourager par toutes ces petites bouteilles.

La recherche fut longue et laborieuse. Les Solvants pour le nettoyage des pierres étaient rangés en fonction de ce qui devait être nettoyé : concrétions de soufre, agrégats de sel et de quartz, formations calcaires et ainsi de suite.

Au bout d'une heure, les garçons n'avaient encore rien trouvé et Regulus soupira en bâillant :

– Si seulement nous savions ce que sont les cristaux qui recouvrent ta pierre…

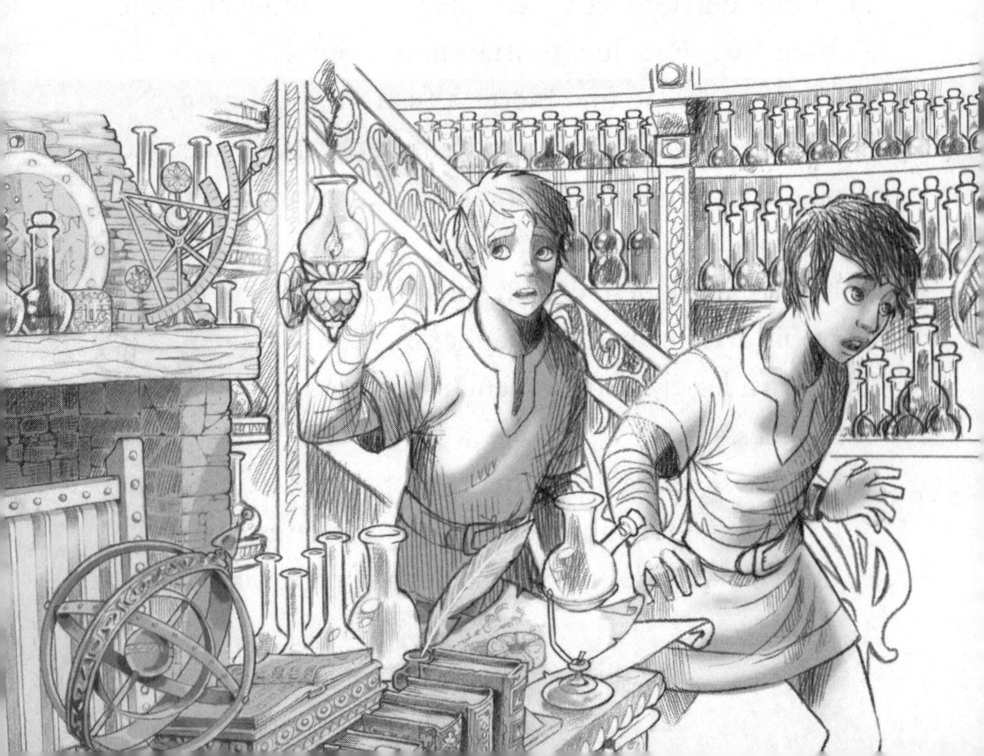

Ombrage acquiesça et garda le silence un instant, sans parvenir à détacher le regard de la collection de pierres d'Eridanus.

– Tu as vu cela ?

– Oui. C'est sa collection de pierres. Je ne comprends pas ce que papa trouve de si intéressant dans ces cailloux !

– Non, je veux dire… *regarde-les !* Elles ont toutes plus ou moins la même forme et la même taille !

Regulus plissa le front et observa les pierres avec une attention redoublée.

– Tu as raison. C'est curieux… Elles ressemblent beaucoup à ton œuf de pierre !

Les deux amis échangèrent un regard de connivence.

– Tu penses que… demanda Regulus dans un souffle.

Il rejoignit Ombrage près des étagères, prit une pierre dans chaque main et les soupesa attentivement.

– Et si, pendant toutes ces années, ton père avait recherché la pierre de jade du Portail ?

Ombrage venait de formuler la pensée de son ami. Regulus le regarda, perplexe.

– Pourquoi aurait-il fait cela ?

– Je n'en ai pas la moindre idée. Peut-être pour la remettre en place. Ou bien pour la cacher en lieu sûr…

– Non. Ce n'est pas possible. Il a toujours dit qu'il allait à la recherche des pierres tombées du ciel… Et c'était déjà passablement absurde ! Pourquoi mentir ?

– Et pourquoi vous êtes-vous introduits ici ? tonna soudain une voix dans leur dos.

Les garçons se retournèrent brusquement. Les yeux d'Eridanus les observaient, sombres.

Ombrage fit un pas en avant et s'éclaircit la voix :

– C'est ma faute, nous cherchions un solvant pour nettoyer une pierre et nous avons pensé…

– … prendre la clef du laboratoire et venir ici en cachette ? Non, mon garçon, je te connais et je sais bien qu'une idée de ce genre n'aurait jamais effleuré ton esprit !

– En effet, c'est moi qui l'ai eue, reconnut Regulus.

Eridanus referma la porte.

– Ainsi, vous avez vu ma collection de pierres.

Les garçons acquiescèrent.

La voix d'Eridanus n'avait jamais été aussi froide. Ombrage craignit d'avoir commis une grave faute en entrant dans cette pièce mais, à sa grande surprise, le vieil Elfe soupira, eut un sourire énigmatique et secoua la tête.

– Pourquoi collectionnes-tu les pierres, papa ? En réalité, contrairement à ce que tu as toujours dit, tu ne recherches pas du tout les étoiles tombées du ciel, n'est-

ce pas ? demanda Regulus en fixant sur son père un regard décidé.

Eridanus observa son fils, puis Ombrage, et enfin les pierres sur les étagères. Il soupira de nouveau.

– Non, je ne collectionne pas les pierres, mais les échecs, déclara-t-il avec découragement.

Il contourna la table et s'assit avec une extrême lenteur, comme si chaque geste lui coûtait une peine infinie.

– Je savais que, tôt ou tard, vous découvririez tout, vous deux… Le temps passe, plus on vieillit et plus on a de mal à exercer une surveillance attentive sur les choses. Mais peu importe, ajouta-t-il, résigné. Maintenant, asseyez-vous, mes garçons. Il semble que le moment est venu de tout vous révéler.

Regulus et Ombrage échangèrent un regard.

– Tout ? murmura Ombrage.

Eridanus sourit.

– Oui, tout.

– Tout quoi, papa ?

– Tout ce qui concerne mon secret, mon fils, dit Eridanus.

– Tu as donc un secret ? reprit Regulus.

C'est alors que le vieil Elfe remarqua la pierre qui était posée sur la table. Ses yeux brillèrent.

– C'est cette pierre que vous vouliez nettoyer ?

Les garçons acquiescèrent de nouveau et il examina l'œuf d'un œil expert.

– Les dimensions ont l'air de correspondre, de même que le poids, me semble-t-il… Hum… des concrétions de quartz prismé et de soufre vert tacheté… cela aussi, c'est très bon signe. C'est vraiment très prometteur. Dites-moi, où l'avez-vous trouvée ?

– Dans le nid d'une pie, répondit Ombrage.

– Près du vieux Portail, ajouta Regulus.

Le père leva les yeux sur son fils et, pendant un instant, un éclair d'inquiétude traversa son regard.

– Je savais qu'Ombrage se rendait parfois là-bas, mais… toi aussi, tu t'es approché du vieux Portail ? Je ne m'y attendais pas… murmura-t-il d'une voix angoissée.

– Moi non plus, je ne m'attendais pas à ce que tu aies un secret ! s'exclama Regulus.

L'Elfe cligna des paupières. Il était difficile de soutenir le regard franc et doré de son fils, et d'y découvrir du ressentiment.

Eridanus toussa et croisa les doigts avec calme.

– Oui, mes enfants, pendant toutes ces années, j'ai eu un secret. Ne croyez pas que ç'ait été facile ni que cela m'ait fait plaisir de dissimuler ces choses. Surtout à vous.

Chaque jour, chaque nuit, je sentais ce poids qui m'écrasait, mais… je n'ai pas eu le choix. Vous étiez trop jeunes pour tout apprendre et j'avais reçu ordre de garder un secret absolu. Et je crois que c'était mieux ainsi…

Regulus l'interrompit.

– Un ordre ? Qui te l'a donné ? Et que concernait-il ?

– Le Portail ? suggéra Ombrage, dont les yeux sombres et vifs étaient braqués sur Eridanus.

– Oui. Et avant que tu n'ajoutes quoi que ce soit, mon garçon… J'ai bien conscience que tu avais le droit de savoir ce que je savais, mais je t'ai dit tout ce que je pouvais te dire et j'ai estimé que tu grandirais plus paisiblement si tu ignorais le reste… en tout cas jusqu'à ce que tu sois assez âgé. Et, je l'avoue, j'espérais aussi que Spica et toi, ajouta-t-il en se tournant vers Regulus, vous seriez ainsi plus en sûreté. Mais, maintenant, le secret n'a plus de raison d'être.

Les garçons se turent et Eridanus les considéra avec affection.

– Depuis quand vous êtes-vous mis en quête de la pierre de jade du Portail ? demanda-t-il.

– Nous ne l'avons pas cherchée. Nous l'avons trouvée par hasard ! s'exclama Regulus. Et cesse de répondre à nos questions par d'autres questions !

– Par hasard… ? répéta le vieil Elfe, incrédule.

– En fait, c'est Ombrage qui l'a trouvée. Mais ce fut le hasard…

Sur le visage pâle d'Eridanus, la stupéfaction céda la place à un sourire qui se transforma peu à peu en rire. Mais c'était un rire amer. À la fin, il secoua la tête et reprit sa respiration.

– Excusez-moi, mes chers enfants, mais j'oublie parfois que tout, en ce monde, se plie à une logique et à des raisons bien précises ! J'ai cherché la pierre de jade si longtemps que je commençais à croire qu'elle avait bel et bien été détruite. Si cette pierre est vraiment celle qui permet de rouvrir le Portail…

Eridanus se leva.

– Mais assez parlé. La première chose à faire est de vérifier si cette pierre est vraiment le jade !

– Après quoi tu nous raconteras tout, n'est-ce pas ? dit Regulus.

– Oui, tout ce que je sais, acquiesça le vieil Elfe.

Il regarda Ombrage et se rendit compte que lui aussi était impatient de savoir, mais qu'il était également effrayé.

Eridanus lui sourit et ordonna :

– Prenez les trois alambics rouges et versez deux mesures d'eau dans chacun.

Les garçons obéirent en silence pendant qu'il préparait lui-même deux solutions, puis Eridanus prit la pierre ovale, la déposa au fond du premier alambic, et, à l'aide d'une pipette de cristal, y fit tomber deux gouttes de la première solution. L'eau se teinta d'un vert profond et produisit un léger bruit, comme si elle grésillait autour de la pierre. Quand cet étrange phénomène cessa, le vieil Elfe sortit la pierre à l'aide de pinces et la montra aux garçons.

– À présent, passons à l'épreuve décisive… ajouta-t-il en introduisant la pierre dans le second alambic et en y versant une goutte d'une nouvelle solution.

Pendant un instant, il ne se produisit rien du tout.

– Ça ne marche pas ? murmura Regulus.

– Ça marche, si, mais plus lentement et d'une manière différente. Encore un moment et le solvant se mélangera avec le quartz de la superficie de la pierre afin qu'il puisse s'en détacher sans l'abîmer…

Enfin, il prit les pinces et retira la pierre d'une main

tremblante, pour la déposer dans le dernier alambic. Elle avait à peine touché l'eau que les cristaux qui recouvraient la pierre commencèrent à se détacher et à tomber au fond.

Eridanus étala un linge sur la table et y déposa la pierre, désormais parfaitement lisse et polie.

Voilà.

C'était l'heure de vérité.

Le silence s'installa dans le laboratoire.

Cette pierre ne pouvait être que du jade.

La pierre de jade capable d'ouvrir le Portail du royaume perdu.

L'éclat vert clair de la pierre se refléta sur les pupilles des deux garçons. C'est alors seulement qu'Ombrage se rendit compte qu'il avait retenu son souffle pendant toute l'opération. Il leva les yeux.

– C'est donc elle ! murmura-t-il.

Regulus acquiesça et fixa son père.

– La pierre a parlé, dit-il. À toi de jouer !

6
Le secret d'Eridanus

Au fond de son cœur, Ombrage avait toujours su qu'il *devrait* repartir un jour et, surtout, qu'il *voudrait* le faire. Mais, à présent, il avait peur. Peur du changement et, surtout, peur de perdre ceux qu'il avait appris à aimer, ceux qui lui avaient appris à rire et à dépasser ses propres faiblesses. Maintenant, plus que jamais, il allait avoir besoin de leur soutien et de leur aide ; mais maintenant, plus que jamais, il savait qu'il n'aurait pas le droit de les accepter, pour ne pas mettre ses amis en danger. La voix tourmentée de Regulus vint interrompre ses pensées.

– Que s'est-il donc passé le jour où Ombrage est arrivé parmi nous ? Quel est ce secret que tu conserves depuis tant d'années ? Et pourquoi ne nous en as-tu jamais parlé ?

– C'était la volonté de Stellarius et…

– Le mage Stellarius ? s'exclama Regulus avec stupeur. Tu le connais ?

– Oh… tu ne devrais pas être surpris que ton père, insigne astronome de la Coupole et découvreur de vingt-trois nouvelles étoiles, connaisse Stellarius, le mage et le conseiller du roi ! dit Eridanus en riant. Mais commençons donc par le commencement… La nuit où Ombrage est arrivé, un orage effroyable s'était déchaîné, si terrible que Mérope s'était presque évanouie en hurlant de frayeur !

Regulus le coupa en soupirant.

– C'est la sempiternelle histoire que nous connaissons par cœur ?

– Veux-tu savoir comment se sont exactement déroulées les choses ? le réprimanda son père.

Puis il reprit son récit.

– Ainsi donc… je rassurai du mieux que je pus la pauvre Mérope, mais vous pouvez imaginer comme elle était alarmée, avec deux jeunes enfants qui s'étaient éveillés au beau milieu de la nuit ! Toi, Regulus, tu étais allé te cacher sous la table de la salle de séjour et Spica pleurait comme une fontaine… C'est peut-être à cause de tout ce remue-ménage que personne ne s'aperçut de ce qui se passait. Quoi qu'il en soit…

– … tu ne te souvenais plus si tu avais bien refermé la coupole d'observation et c'est pourquoi tu es allé jeter un coup d'œil… intervint Regulus.

– En effet. Les lentilles du télescope sont très précieuses et je ne me le serais pas pardonné si elles avaient été endommagées… Or j'avais laissé la coupole ouverte et je m'apprêtai à la refermer quand j'entendis un cri terrible qui me donna la chair de poule. Comme le télescope était encore ouvert, je décidai d'observer les environs. Le ciel était noir comme si une couverture obscure avait été étendue sur la terre, sauf… au sommet du sentier qui conduisait au Portail, où jaillissait une lumière verte si intense qu'on aurait dit celle d'une étoile. Je braquai le télescope dans cette direction et, soudain, vis un éclair frapper à cet endroit précis !

Eridanus se tut et savoura pendant quelques instants le silence des deux garçons. Cette partie de l'histoire, il ne l'avait jamais racontée à personne, en dehors de Stellarius, et ce ne fut pas sans hésitation qu'il poursuivit :

– Comme si cela ne suffisait pas, l'éclair que j'avais vu n'était pas comme les autres…

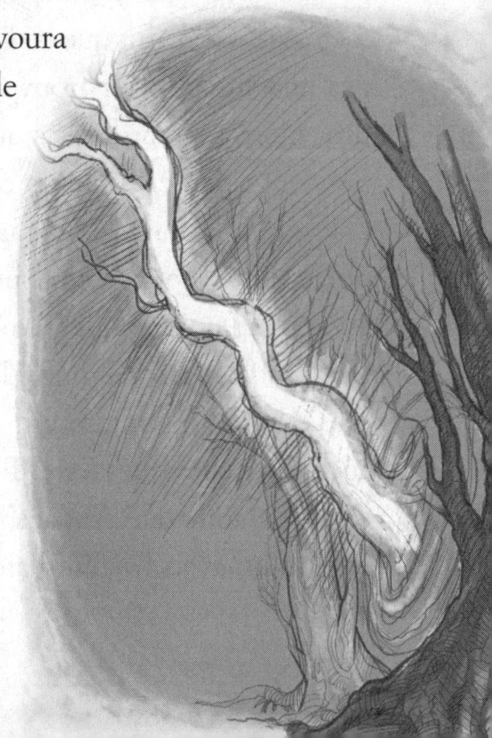

– Que veux-tu dire ? demanda Ombrage.

Eridanus hocha lentement la tête.

– Au lieu de descendre des nuages vers la terre, il faisait exactement le contraire : il sortit de la terre et illumina le ciel. Je n'avais jamais vu de prodige semblable et n'en avais jamais entendu parler. Imaginez ce que j'ai ressenti quand je me suis rendu compte que la silhouette de l'éclair était restée imprimée sur la lentille du télescope ! J'avais deux petits enfants à la maison et aucune arme pour me défendre… Cependant, le cri avait été si terrible et angoissé que je décidai que, dès que la pluie cesserait, j'irais voir ce que c'était. Oh, ce ne fut pas du courage, sachez-le. Ce ne fut que de l'imprudence. Je n'avais même pas imaginé pouvoir trouver ce que je découvris… Mais procédons avec ordre… ajouta-t-il en toussotant.

» Aux premières lueurs de l'aube, la pluie cessa et je m'apprêtai à sortir de la maison. Mais quand j'ouvris la porte, je te trouvai, toi, mon garçon. Je me demandai aussitôt ce qu'un petit Elfe des Forêts pouvait bien faire tout seul, dehors, par une telle nuit. Tu avais, sur le visage, une expression adulte qui m'effraya. Tu ne répondis à aucune de mes questions. Tu ne prononças même pas un mot. Seul ton nom : Audace. Je pensai alors que, peut-être, quelqu'un avait besoin d'aide et l'idée d'aller au Portail s'imposa avec plus de force. Je te confiai donc aux soins de Mérope et, sans réfléchir davantage, je sortis en courant. En longeant le sentier, je criai, j'appelai, mais personne ne me répondit. Il ne me fallut pas longtemps pour comprendre qu'il y avait quelque chose de bizarre… Cette odeur de brûlé, comme si des arbres avaient été frappés par la foudre. Et puis ce grand silence… Un silence vide, sans vie, qui me fit frissonner. La prudence m'invita à ralentir le pas et à mieux observer autour de moi. Des événements graves et horribles s'étaient produits. La peur me serrait la gorge et je fus sur le point de revenir sur mes pas. Mais je pris mon courage à deux mains et poursuivis. Quand j'arrivai au Portail, mon cœur s'arrêta dans ma poitrine.

– Que s'était-il passé ? le pressa Ombrage, en crispant les poings sur la table.

Eridanus eut un sourire résigné. Il abordait la partie la plus horrible de son récit.

– Oh, aujourd'hui encore, je ne sais pas exactement ce qui s'est passé cette nuit-là, et je pense que le Roi Antarès, le mage Stellarius et la Reine des Fées eux-mêmes n'en savent pas plus que moi… Mais je peux te dire ce que je vis, mon garçon. Je vis le Portail détruit. Ce n'est pas tout… La foudre n'avait pas seulement frappé la porte.

Elle avait aussi frappé deux créatures, dont il ne restait que les ossements noircis, toutes deux enlacées dans un dernier combat fatal.

– Deux créatures… ? demanda Regulus, horrifié.

– Des Elfes ? demanda Ombrage, presque sans voix.

– Non, mon garçon, ce n'étaient assurément pas des Elfes, car mon œil inexpert lui-même sut reconnaître parmi ces ossements le crâne d'un Loup-Garou et celui d'un Dragon. Certes, je n'eus aucune certitude avant le soir, en en parlant avec Stellarius… Mais mieux vaut raconter les choses dans l'ordre où elles se sont déroulées. La clairière paraissait entièrement brûlée par la foudre et je n'osais pas imaginer pour quelle raison un horrible Loup-Garou et un Dragon s'étaient introduits dans notre royaume à travers ce Portail… Près des squelettes je récoltai une boucle de métal à moitié fondue et une écaille de Dragon qui semblait en cristal. Puis je m'approchai du Portail. La pierre de jade n'y était plus encastrée ! Je me dis que la foudre avait pu la faire tomber à terre et j'entrepris de la chercher. Je la cherchai toute la journée, jusqu'à la tombée de la nuit, en vain. Ainsi, triste et découragé, je rentrai chez moi. À ma grande surprise, je rencontrai à la Coupole le mage Stellarius en personne. Tu es surpris, aujourd'hui, mon garçon, mais imagine combien je le fus ce soir-là ! J'étais fatigué, bouleversé et très préoccupé par ce que j'avais vu. Je n'avais qu'une envie, m'asseoir dans l'obscurité du salon, pour réfléchir et mettre mes idées en ordre. Au lieu de cela… devant moi, je trouvai le conseiller du roi, le puissant Stellarius, que tout le monde considérait comme le plus grand mage de tous les temps et de tous les royaumes. La pauvre Mérope ne l'avait même pas reconnu, enveloppé comme il était dans son manteau couleur de nuit. Je fus encore plus étonné quand il se mit à te parler, mon garçon, dit Eridanus en se tournant vers Ombrage. Il te parlait à voix basse, d'un ton mélancolique et grave. Puis il rejeta en arrière l'ample capuche qui couvrait son visage ; jamais de ma vie je ne m'étais senti plus vulnérable qu'en face de ses yeux, qui semblaient pouvoir lire dans mon esprit…

Eridanus soupira et son regard resta perdu dans le vague, comme s'il essayait de rappeler à sa mémoire la suite du récit.

– Il me regarda sévèrement et dit : « Je t'attendais. Tu en as mis du temps ! Je n'aurais pas pu attendre un instant de plus. Allons dans ton cabinet, vite ! Je dois te parler de choses importantes. » Je dois avouer que les heures filèrent à toute vitesse et ce que me raconta Stellarius cette nuit-là est toujours resté gravé dans mon esprit et dans mon cœur. Avant de partir, il insista : « Ne révèle à personne les détails de ce que tu as vu et su, il est d'une importance vitale que tout se produise au moment où cela doit se produire, ni avant ni après, mais seulement au bon moment. Sa Majesté en personne compte sur toi et c'est un honneur qui incombe à peu d'élus ! » Puis il rabaissa sa capuche sur son visage et se leva. « Et ne perds pas l'espoir, mon ami Elfe. Je ne sais ni quand ni comment,

mais nous parviendrons à vaincre les Forces Obscures. Que les étoiles soient avec toi et avec tes enfants », ajouta-t-il avec un sourire. Et il sortit. Je vous l'avoue, mes garçons, ses paroles me laissèrent sans voix, et la lumière ardente de ses yeux me fit trembler. Je n'eus pas le temps de répliquer, car, à peine avait-il atteint la porte, qu'il avait déjà disparu…

– De quoi avez-vous parlé toute la nuit ? demanda Ombrage.

Eridanus sourit.

– Sois un peu patient. Encore un moment et vous saurez tout !

Il se dirigea vers une étagère et, dans un coffret orné de marqueterie, prit une clef que les garçons n'avaient jamais vue et avec laquelle il ouvrit un coffre sous la fenêtre. Il en sortit un autre petit coffret de bois qu'il posa avec un soin extrême sur la table.

– Par toutes les étoiles du ciel ! Qu'est-ce que c'est que cela ? s'exclama Regulus en écarquillant les yeux.

– C'est là que je conserve quelques-uns des objets glanés lors de cette nuit, répondit Eridanus, en ouvrant solennellement le coffret. La boucle que j'ai ramassée près du Portail et l'écaille de Dragon… Mais c'est surtout là que je garde ce qui compte plus que tout… ajouta-t-il

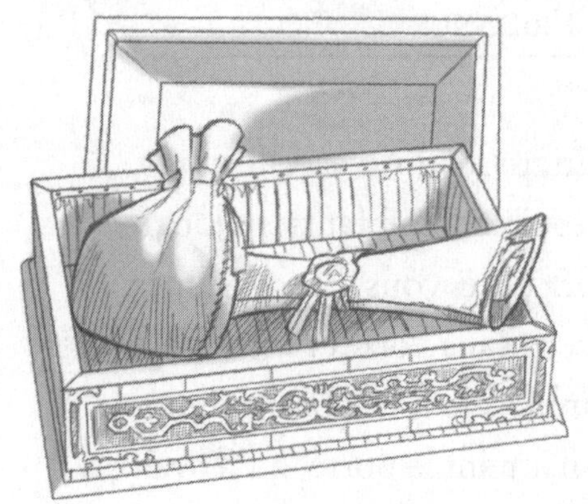

d'une voix soudain tremblante, au moment même où un petit nuage passait devant le soleil. Le parchemin et la bourse que Stellarius m'a remis.

– Un parchemin ? Une bourse ? demanda Regulus.

– De la part de qui ? dit Ombrage comme en écho.

– Et surtout… pour qui ?

Eridanus prit le rouleau de parchemin autour duquel était noué un ruban rouge, le déroula et s'éclaircit la voix avant de commencer à lire.

Cher ami Elfe du royaume des Étoiles,

Reçois mes hommages et mon cordial salut !
Nous vivons des heures sombres pour le royaume de la Fantaisie et les nouvelles qui me parviennent affligent mon cœur. Un nouveau Portail a été perdu, un autre peuple pacifique vient de disparaître sous le joug des Sorcières. J'avais envoyé l'une de mes Fées, Psaltérine, pour aider le peuple des Elfes des Forêts, si durement et si soudainement agressés par la cruauté de la Reine

Noire… Mais voilà des jours que j'ai perdu toute trace de Psaltérine et j'ai appris aujourd'hui la mort d'un vieil ami Dragon, Fulminant. Mon cœur est rempli de tristesse et d'amertume ; l'obscurité vient de s'abattre sur le royaume des Forêts avec une telle rapidité que je n'ai rien pu faire. Pourtant, tout espoir n'est pas mort. En effet, en crachant ses flammes, Fulminant a réussi à sceller le Portail, de manière que seul celui qui en sera digne pourra l'ouvrir de nouveau. Tu sais, ami Elfe, à qui je fais allusion et tu connais également la raison pour laquelle je te demande de t'occuper de cet enfant jusqu'à ce qu'arrive ce jour. Il sera toujours libre de choisir, rappelle-le-lui et ne l'oublie pas, mais je suis certain que le nom qu'il porte illuminera son cœur. Son peuple a besoin de lui comme le royaume de la Fantaisie a besoin de ses héros.

Je te demande de ne lui parler de tout cela que quand le moment sera venu : tu sauras le reconnaître avec certitude. Mais prends garde à ne pas le forcer à agir… Quant à moi, je me contente de confier à tes soins ce cadeau pour que tu le lui remettes le moment venu. Qu'il ne l'ouvre que s'il accepte la mission de ramener la paix et la lumière dans le royaume perdu, ce royaume auquel une moitié de son cœur appartient depuis

toujours... Car il est désormais seul capable d'accomplir cela, aussi difficile que cela paraisse.
Avec une entière confiance et un espoir éternel,

Floridiana, Reine des Fées.

La voix d'Eridanus, incertaine et émue, trembla en prononçant les derniers mots, puis l'Elfe reposa le parchemin et prit avec un soin infini une bourse de toile écrue, que fermait un simple lacet de cuir.

Dès qu'il la vit, Ombrage éprouva un pincement au cœur. Il ne dit rien et ne fit rien pendant un moment qui parut interminable. Il était troublé, triste et en colère.

– Pourquoi moi ? murmura-t-il.

– Je comprends ton trouble, le rassura Eridanus, mais ne crains rien. Tu as autant de temps que tu le veux pour réfléchir à ce que tu désires faire. Personne ne t'oblige à accepter cette mission, pas même la Reine des Fées... je t'ai lu ses paroles. Pour ma part, même, je préférerais que tu restes ici, au lieu d'affronter les dangers qui t'attendent au-delà du Portail. Cependant, tu ne sais pas combien il me coûte de te dire que ce n'est pas à moi de décider.

Eridanus se tut pendant un instant avant d'ajouter :

– Je ne te cache pas que la mission qui t'attend, si tu

décides de l'accepter, sera difficile. Et que nul ne peut garantir que tu la rempliras avec succès. Ce sera une tentative. La dernière, probablement, de vaincre le Mal Obscur qui a enveloppé ton royaume. Les Sorcières peuvent être horribles et atroces : n'ont-elles pas anéanti une Fée de la Cour de la Reine et tué Fulminant, un Dragon très valeureux ? Aussi, il ne faut pas que tu prennes ta décision à la légère.

Ombrage soupira.

– Et si, un jour, les Sorcières parvenaient jusqu'ici ? pensa-t-il, angoissé. Si elles trouvaient le moyen d'ouvrir le Portail et si l'Armée Obscure envahissait le royaume des Elfes Étoilés, comme elle a envahi celui de la Forêt ?

Eridanus posa une main sur son épaule.

– Prends le temps de décider. Laisse passer la Fête de la Mi-Printemps. Je conserverai ces objets pour toi, ici, comme je l'ai fait jusqu'à présent. Quand tu auras pris ta décision, si tu veux partir, je te remettrai ce que la Reine m'a confié par l'intermédiaire de Stellarius. Je suis certain, mon garçon, que, quel que soit ton choix, ce sera le bon !

7

ENTRETIENS NOCTURNES

Ce fut une longue et étrange journée, au cours de laquelle Ombrage remua une foule de pensées, sans beaucoup parler. Il sortit seul, sans rien dire à personne, et Spica le vit s'éloigner, inquiet.

– Tu sais où il va, n'est-ce pas ? demanda-t-elle à Regulus.

Son frère, qui était assis sur un banc devant la maison et jouait distraitement avec des bâtonnets, ne répondit rien.

– Il est allé au Portail… n'est-ce pas ? insista-t-elle.

– Je ne sais pas, marmonna Regulus.

– Tu ne le sais pas, mais c'est ce que tu crois, hein ?

– Comment peux-tu savoir ce que je crois ? répliqua-t-il, irrité.

– C'est que je ne l'ai jamais vu aussi triste, que je ne t'ai jamais vu aussi nerveux et que… et que… (Elle poussa un profond soupir.) Et que je suis moi aussi très nerveuse. J'ai très peur, Regulus. Que se passe-t-il ?

Enfin, Regulus leva les yeux sur sa sœur et lui fit signe de s'asseoir à son côté.

– De quoi as-tu peur, petite sœur ?

Spica s'assit et commença à parler en se tordant les mains.

– Je sais que vous voulez me protéger, mais je ne suis pas idiote. Depuis que nous sommes allés dans la clairière du Portail, vous n'êtes plus les mêmes, je m'en suis bien aperçue. Ombrage m'évite… Il évite tout le monde ! Et toi aussi, ton comportement est très bizarre…

Regulus fronça les sourcils et essaya de sourire, mais cela lui parut très difficile.

– Ne t'inquiète pas. Il ne s'est rien passé de grave…

Spica bondit sur ses pieds.

– Ne te moque pas de moi, s'il te plaît. Je n'ai que trois ans de moins que toi et je ne suis plus une enfant !

Le sourire par lequel son frère tentait de la rassurer s'évanouit.

– Je sais. Mais il y a quelque chose que je ne peux pas te dire…

Spica pinça les lèvres d'un air vexé et allait répliquer, mais elle se ravisa et demanda simplement :

– Je ne sais pas comment il a fait, mais il a trouvé un moyen de partir. Il veut y aller, n'est-ce pas ?

Regulus la regarda fixement avant de répondre :

– Oui.

– Même si tout est mort de l'autre côté ? Même s'il ne doit y trouver que souffrance et cruauté ? demanda encore Spica en serrant les poings.

– Je ne…

– Qu'est-ce qui ne lui plaît pas, dans notre royaume ? Ça ne lui suffit pas, de vivre avec nous ? ajouta-t-elle, furieuse, mais regrettant aussitôt ses paroles.

– Ne sois pas injuste, lui reprocha son frère.

– Et il veut y aller tout seul ?

– Peut-être, répliqua-t-il, avant de soupirer : Je sais. Je sais bien qu'il a tort. Je l'avais convaincu de se fier à moi, mais tu sais comme Ombrage a la tête dure…

– Alors, comme ça, tu laisses tomber ? s'indigna-t-elle.

– Oh, et puis zut ! J'aurais mieux fait de ne rien te dire !

Il se leva et rentra à l'intérieur de la maison, mais continua de penser à cette histoire. Il ne doutait pas qu'Ombrage allait partir. Mais il ne savait pas quand et, surtout, il craignait qu'il parte sans crier gare, sans dire au revoir.

Il y avait pourtant quelque chose qu'Ombrage devait emporter : le cadeau de la Reine des Fées qu'Eridanus conservait dans son cabinet !

Il suffisait à Regulus de surveiller le cabinet…

Il retourna sur ses pas et passa l'après-midi dissimulé derrière une colonne du couloir. Mais rien ne se produisit. Quand la nuit tomba, il dut lutter pour ne pas succomber au sommeil. Le lendemain était une journée de réjouissances, il y aurait un festin, de la musique, des danses, des spectacles et des rires : les années précédentes, la Fête de la Mi-Printemps était un événement qu'il attendait avec impatience ! Or, cette année, tout cela lui semblait n'avoir aucun sens.

Il était plongé dans ces pensées quand il entendit des pas dans le couloir. Il se pencha doucement derrière la colonne et aperçut Ombrage qui se déplaçait furtivement. Le jeune Forestier s'approcha de la porte et sortit la clef de sa poche.

Regulus le laissa entrer dans le cabinet. Puis il le suivit en silence.

– Tu as donc pris ta décision ? l'interrogea-t-il d'une voix ferme.

Ombrage se retourna et le regarda droit dans les yeux. Il acquiesça.

– Quand ? demanda Regulus.

Ombrage hésita.

– Demain, quand tout le monde assistera à la fête, révéla-t-il d'une voix grave.

– Tu n'avais pas l'intention de m'en parler, n'est-ce pas ?

Ombrage évita son regard et se dirigea vers le coffre sous la fenêtre.

– Tu ne peux pas venir avec moi, dit-il.

– Pourquoi donc ?

– Nous ne sommes plus des enfants et ceci n'est pas un jeu. Derrière ce Portail m'attendent de très graves dangers… S'il arrivait quelque chose, que ce soit à toi ou à qui que ce soit d'autre, je me sentirais responsable…

Regulus soupira.

– N'avons-nous pas déjà eu cette conversation ?

– Essaie de me comprendre…

– Non. C'est à toi d'essayer de me comprendre. Je ne te laisserai pas partir tout seul pour aller te jeter dans les griffes des Sorcières !

L'étoile sur le front de Regulus lança un éclair que reflétèrent les yeux d'Ombrage.

– Tu es sûr ? Même après ce que tu as entendu ? Des

Loups-Garous… des Fées disparues et des Dragons vaincus.

– Je n'ai jamais été plus sûr de moi, petit frère. J'avais cru que le répit serait plus long, mais, si c'est maintenant que nous devons partir, nous partirons maintenant !

Un léger sourire flotta sur les lèvres d'Ombrage.

– Alors, c'est d'accord. Je serai content de t'avoir pour compagnon. Ce sera moins dur, ajouta-t-il.

– Tu ne vas prévenir personne, n'est-ce pas ? demanda Regulus.

– C'est mieux ainsi, crois-moi…

– Oui, je le crois aussi, dit Regulus en repensant à la conversation qu'il avait eue l'après-midi même avec Spica. Explique-moi ton plan, je veux en connaître le moindre détail. Et gare à toi si tu ne me dis pas tout, quand bien même ce serait pour me protéger !

Ombrage acquiesça et exposa son plan à son ami. Ils prirent la bourse de la Reine des Fées, puis remirent tout en place, éteignirent la lampe et sortirent.

Le lendemain matin, la Coupole était en émoi : Mérope, criant des ordres à droite et à gauche, présidait au chargement des paquets sur la charrette pour la Fête de la Mi-Printemps. Puis on se mit en route. À mi-chemin, on se rappela qu'on avait oublié le sirop d'églantine, et on dut retourner sur ses pas. Enfin, on arriva sur la grand-place du Bourg des Maisons aux Toits Pointus, et on se joignit aux autres pour les préparatifs de la fête.

Ce fut ce moment qu'Ombrage et Regulus mirent à profit pour s'éclipser sans qu'on les remarque. Ils s'éloignèrent rapidement en coupant à travers champs, emportant deux besaces bourrées de victuailles, la bourse de la Reine de Fées, la boucle du Loup-Garou et l'écaille de Dragon qui, des années plus tôt, avaient été ramassées près du Portail, deux arbalètes et deux couteaux. Ils marchèrent en silence et ne tardèrent pas à atteindre la route qui conduisait aux Pont des Cailloux Ronds. Ils n'étaient plus très éloignés du Portail et se retournèrent pour dire adieu aux lieux que, peut-être, ils ne reverraient jamais.

C'est alors que Regulus remarqua un mouvement dans les arbres qui bordaient le sentier.

– Il y a quelqu'un, dit-il en saisissant Ombrage par le coude et en retenant sa respiration.

Le jeune Elfe acquiesça en soupirant.

8

Des éclairs verts

– Ta sœur… murmura Ombrage.

Il n'osa pas prononcer son prénom.

Elle était la dernière personne qu'il aurait voulu voir en cet instant, car elle était la seule qui aurait pu le convaincre de rester. Il s'était longuement demandé s'il devait ou non partir, et beaucoup plus sérieusement qu'il ne l'avait jamais fait. Mais retarder son départ, cela revenait à laisser périr son royaume, alors qu'il y avait peut-être un espoir… Et cet espoir, c'était lui.

Spica sortit du bosquet d'arbres et se campa devant les deux jeunes gens d'un air décidé. Elle portait un sac à dos et avait attaché ses longs cheveux.

– Ne me regardez pas comme ça, déclara-t-elle. Je viens avec vous !

– Ne dis pas de bêtises ! lui lança Regulus.

– C'est toi qui ferais mieux de ne pas en dire, répliqua-t-elle. Tu n'as pas le droit de me traiter comme un bébé !

– Pardon ? répondit-il, incrédule. Je ne… Comment savais-tu que nous partirions aujourd'hui ?

– Je ne suis pas naïve !

– Ah bon ? dit son frère.

– Je ne suis pas une petite écervelée qui rêve qu'on va lui sauver la vie. Vous aurez besoin d'aide ! Je viens avec vous ! déclara-t-elle crânement.

– Il n'en est pas question ! s'exclama Regulus, furieux.

– Pourquoi ? Donne-moi une seule raison valable ! lui lança-t-elle, mains sur les hanches.

Elle répondit au silence ahuri de son frère par un ricanement de défi.

– Alors, tu vois bien ! Il n'y a aucune raison valable !

– Tu ne viens pas, intervint Ombrage d'un ton résolu.

Spica tourna les yeux vers le garçon.

La voix d'Ombrage était si ferme et si grave que les deux Étoilés ne purent se méprendre sur sa détermination. Il ne reviendrait pas sur sa décision.

Spica serra les lèvres.

– Bien parlé ! marmonna Regulus, ébahi de constater que ces simples mots avaient su mettre un terme à la discussion avec sa sœur.

– Ainsi, tu es comme tous les autres. Toi aussi… murmura la jeune fille, déçue.

– Que veux-tu dire ? intervint Regulus.

Spica ignora la question de son frère et continua d'observer Ombrage.

– À la maison, j'ai toujours été la petite, la sœurette, la fillette délicate, patiente et raisonnable, celle qui ne désobéissait jamais… Tu as été le seul à me traiter différemment ! Comme si tu avais su que j'étais capable de me débrouiller par moi-même.

– Je le pense, acquiesça Ombrage, avec douceur.

– Moi aussi, je le pense, ajouta Regulus. Seulement…

Enfin, je suis inquiet pour toi, quoi ! Je ne vois pas ce qu'il y a de mal à cela…

– *Je ne veux pas* que vous vous fassiez du souci pour moi. Je veux décider moi-même de ce que je fais ! Et je veux venir avec vous ! J'en suis parfaitement capable !

– Ce n'est pas un jeu ! s'écria Regulus.

Spica l'ignora et fixa Ombrage.

– Mais toi, tu ne veux pas que je t'accompagne, dit-elle.

– Je ne le veux pas, non, répondit le Forestier.

Spica se mordilla la lèvre inférieure. Contrairement à ce qu'auraient cru les garçons, elle ne demanda pas pourquoi, mais elle se redressa avec un léger mouvement d'assentiment. Peut-être allait-elle éclater en sanglots, mais elle n'en laissa rien paraître, et, même, ses yeux semblèrent aussi étincelants que deux saphirs et ses joues rougirent violemment.

– En tout cas… revenez vite. Tous les deux…

– Spica, tu es sûre que tu vas bien ? s'enquit Regulus après un silence.

Sa sœur ne fit pas attention à lui. Ses yeux étaient captivés par ceux d'Ombrage, qui lui rendirent un regard inquiet.

Regulus soupira et détourna les yeux : il avait soudain l'impression d'être de trop.

– Puis-je au moins vous accompagner jusqu'à la clairière ? demanda Spica.

– Il vaut mieux que tu rentres maintenant. Nous ne savons pas ce qui va se passer quand nous ouvrirons le Portail. Cela pourrait être dangereux, remarqua le jeune Forestier. Prends soin de ce royaume, c'est important. Et va à la Fête de la Mi-Printemps, chante et amuse-toi, Voix de Lune, dit-il en souriant d'un air incertain.

– Tu verras, nous serons rentrés avant que tu ne t'en aperçoives et tu pourras raconter notre aventure à tout le monde. Oh, je t'en prie, salue papa et Mérope de ma part ! ajouta Regulus.

Puis les deux garçons se retournèrent. Ombrage fit sur lui-même un effort qui lui parut gigantesque et se remit en marche, laissant Spica plantée au milieu du sentier.

Il fallait qu'il y aille.

Il avait quelque chose d'important à faire.

– Crois-tu qu'elle ait vraiment accepté notre refus ? demanda Regulus à voix basse.

Ombrage acquiesça et le garçon se sentit soulagé.

– Oui, reprit Regulus. C'est toi qui le lui as dit. Je ne crois pas qu'elle aurait accepté cela de la part de qui que ce soit d'autre. Elle n'accepterait jamais que quelqu'un d'autre décide à sa place… Et, de toute façon, tout le monde a tendance à t'obéir, tu ne l'as jamais remarqué ? Je crois que tu as ce que l'on appelle le « don du commandement ».

Mais Ombrage ne l'écoutait plus. Il ne pouvait plus détourner ses pensées du Portail et de ce qui l'attendait de l'autre côté.

Ils atteignirent rapidement la clairière et s'approchèrent du bois brûlé, en retenant leur respiration. Comme les autres fois, tout paraissait mort. Tout, sauf ces quelques bourgeons qui étaient apparus sur certaines branches du Portail.

Ombrage sortit la pierre de jade de sa poche. Il l'examina un instant, puis échangea un regard avec Regulus et s'approcha du Portail.

Le cœur battant, sans dire un mot, il ajusta la pierre à son emplacement.

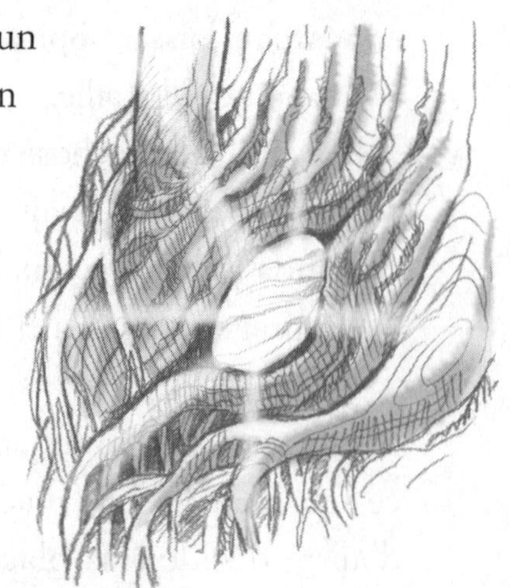

Dans un premier temps, il ne se passa rien.

Puis, soudain, quelque chose bougea sous la mousse grisâtre. Le bois se contracta autour de la pierre verte, qui émit un éclair aveuglant. Sous les yeux étonnés des deux garçons, un miroir de lumière verte s'étendit sur la porte. Ils furent enveloppés par une violente bourrasque.

Ombrage fit un pas en avant, se préparant à traverser, et son cœur frémissait d'impatience. Il lança un regard à Regulus.

– Tu n'as pas changé d'avis ? demanda-t-il gravement.

Regulus secoua la tête.

– On y va quand tu veux ! dit-il.

– Maintenant ! s'exclama Ombrage, et il n'avait pas fini sa phrase qu'il franchissait le seuil.

Le miroir brillant s'écarta autour de lui et l'engloutit en un éclair.

Regulus plissa le front, serra les poings et le suivit.

À cet instant précis, une nouvelle lueur, brève et intense, resplendit sur la colline. Juste avant que la porte ne se referme, une nuée d'énormes chauves-souris aux ailes couleur amarante franchit le Portail et s'élança dans le royaume des Étoiles.

DEUXIÈME PARTIE

AU-DELÀ DU PORTAIL

9
L'OBSIDIENNE

Regulus tomba en avant, manquant de se casser le nez sur les pavés glissants qui entouraient le Portail. Mais Ombrage le retint par le bras.

– Merci ! murmura le garçon en se redressant.

Ce qui, autrefois, avait dû être le sommet d'une colline herbeuse n'était désormais plus qu'un champ de cailloux. Ils n'aperçurent pas âme qui vive. Quatre lances étaient plantées en terre aux quatre points cardinaux : au bout de chaque hampe, des crânes de loup les dévisageaient de leurs orbites vides.

Les deux amis se figèrent un instant, en silence, mais ils furent bientôt assaillis par un son strident. Un nuage rouge sang se leva de la forêt : Ombrage vit que c'étaient des chauves-souris aux ailes couleur amarante. Ces créatures de cauchemar, poussant des cris terrifiants, fondirent sur eux et sur le Portail. Regulus eut à peine le temps de se boucher les oreilles. Ombrage le poussa de côté et se jeta sur le Portail.

Dans sa chute, la tête de l'Elfe Étoilé alla heurter un caillou pointu. Il entendit un bruit étrange et vit un crépitement d'éclairs argentés. Quelques instants s'écoulèrent avant que le garçon parvienne à redresser la tête.

– Par toutes les étoiles filantes ! dit-il, haletant.

– Ça va ? demanda Ombrage.

Regulus acquiesça.

– Merci, mon ami. Je crois que je te dois une fière chandelle, même si tu m'as poussé un peu fort. C'était quoi, ce nuage ?

Ombrage tourna les yeux vers le Portail.

– Des chauves-souris, dit-il. En tout cas, je crois…

– Je n'ai jamais vu des chauves-souris de ce genre ! s'exclama Regulus en se relevant lentement, avant de voir l'expression sur le visage de son ami.

– Qu'y a-t-il ?

– Je n'ai pas réussi à les empêcher de traverser le Portail… répondit Ombrage en montrant à l'Elfe Étoilé une pierre qu'il tenait à la main.

Regulus la regarda d'abord sans comprendre. Le Portail s'était refermé parce qu'Ombrage avait eu la présence d'esprit de retirer la pierre qui, de ce côté, fonctionnait comme un catalyseur, c'est-à-dire comme un élément pouvant dégager une énergie magique.

On aurait dit de l'obsidienne, sombre et luisante comme le ciel noir d'une nuit sans étoiles. Oui, c'était de l'obsidienne, la pierre que l'on trouvait dans tous les royaumes limitrophes, sur les Portails conduisant au royaume des Elfes Étoilés.

L'Elfe des Forêts regarda son ami et dit, en lui tendant l'obsidienne taillée en forme d'étoile :

– C'est toi qui dois la garder !

– Je ne crois pas que ce soit une bonne idée…

– Prends-la ! répliqua Ombrage.

– Tu sais bien que je perds toujours tout ! protesta Regulus.

– Il faudra y faire attention, rétorqua Ombrage.

– Pourquoi ne la gardes-tu pas, toi ?

– J'ai déjà la bourse de la Reine des Fées… Si je porte tout et qu'il m'arrive quelque chose, nos efforts seront réduits à néant.

– Mais, si je la perds, nous ne pourrons jamais rentrer à la maison ! Tu n'as pas pensé à cela ?

– Alors ne la perds pas, dit Ombrage.

Ces quelques mots marquèrent profondément Regulus en lui faisant prendre conscience du poids de sa responsabilité.

– Il vaut mieux décamper en vitesse, ajouta Ombrage en scrutant les environs.

– Tu penses que quelqu'un pourrait avoir remarqué notre arrivée ? demanda Regulus.

– Je l'ignore. Mais la lumière argentée qui a brillé quand nous avons ouvert le Portail peut avoir été observée de très loin… ajouta-t-il en regardant les crânes sinistres. Nous ne savons rien de ces Sorcières ni de ce qui s'est passé ici après la chute du royaume.

– Tu as raison, admit Regulus.

Ombrage tâta la bourse pour s'assurer que rien ne manquait, puis il se mit en marche.

Chemin faisant, et en réglant son pas sur celui d'Ombrage, Regulus se rendit compte qu'ils s'enfonçaient dans une forêt touffue, et il ralentit. Dans les histoires qu'il lui avait racontées, grand-père Orion avait appelé cet endroit la Forêt des Bourgeons Verts. Si des bourgeons avaient jamais poussé dans cette forêt, c'était bien des printemps plus tôt. En tout cas, les feuilles qu'il voyait étaient desséchées, racornies, mais bien décidées à rester accrochées à leurs branches.

– Pourquoi allons-nous de ce côté ? s'enquit-il, étonné de voir Ombrage avancer comme s'il connaissait le chemin.

Le jeune Forestier se retourna et un sourire flotta sur son visage.

– La boussole indique cette direction, dit-il tranquillement.

– La boussole ? Quelle boussole ? demanda Regulus en écarquillant les yeux.

Ombrage sortit un gros médaillon de sous sa tunique et le montra à son ami.

– Je l'ai trouvé dans la bourse de la Reine des Fées, c'est une sorte de boussole !

Regulus examina l'objet magique. Il s'agissait d'un médaillon d'argent orné de motifs finement ciselés qui rappelaient des branches entrelacées. Sous le verre, une aiguille dorée oscillait faiblement, indiquant la direction à suivre.

Regulus sembla réfléchir un long moment.

– Oh, parfait. Mais… Elle n'indique pas le nord, n'est-ce pas ?

Ombrage secoua la tête, le visage grave, et Regulus soupira.

– C'est bien ce qui me semblait. Une boussole qui n'indique pas le nord… observa-t-il, perplexe.

– Je crois qu'elle indique simplement la route à suivre, dit Ombrage.

– Bon, on s'en contentera. Si c'est la Reine des Fées qui le dit ! Qu'y avait-il encore dans cette bourse ? Juste pour savoir…

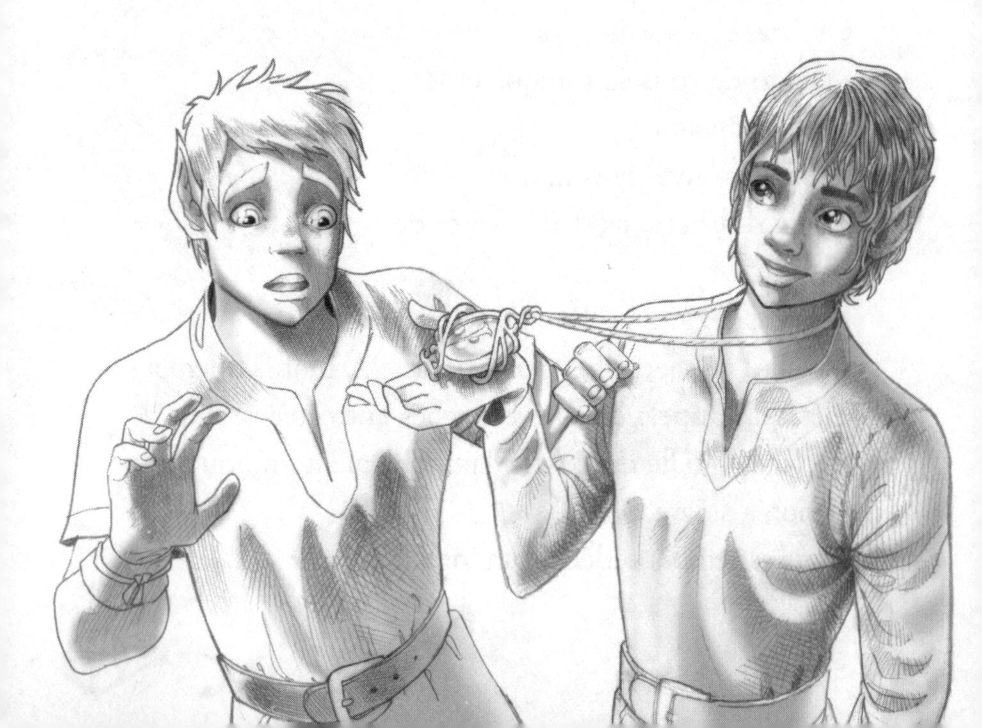

– Une ampoule de cristal… répondit Ombrage.

– Une quoi ? s'exclama Regulus, incrédule.

– Ne crie pas, le gronda son ami en jetant un regard inquiet autour de lui.

– C'est vrai, excuse-moi… Je me demandais seulement comment tu allais faire pour ne pas la casser… Une ampoule de cristal !

– Je ferai attention… dit Ombrage.

– C'est le minimum, à mon avis. Même si j'imagine que, comme c'est un cadeau des Fées, elle doit être magique… reprit Regulus d'un air expert. Bref, je comprends à quoi sert la boussole, mais qu'allons-nous faire d'une ampoule ? Bon, nous verrons bien, ajouta-t-il, tandis qu'ils s'enfonçaient dans la Forêt des Bourgeons Verts.

Leurs voix ne furent bientôt plus qu'un discret murmure qui se confondait avec le craquement des feuilles sèches sous leurs pas.

10
Les Crépusculaires

pica resta immobile, les mains crispées contre sa poitrine. Elle se sentit soudain très seule, perdue, comme jamais.

C'est alors qu'elle fut brusquement enveloppée par une rafale glaciale. La jeune fille serra les dents et entendit un sifflement assourdissant qui dévalait la colline : le bruit la rattrapa, la dépassa et alla se perdre dans les arbres.

Spica leva les yeux et crut voir un essaim de chauves-souris couleur de sang qui volaient entre les arbres. L'une d'elles se dirigea droit sur elle tandis que quatre petits yeux rouges la scrutaient fébrilement, cruellement : elle sentit son sang se glacer dans ses veines et crut s'évanouir.

Ce fut à ce moment qu'une voix puissante s'éleva derrière elle. Des mots inconnus et incompréhensibles déchirèrent l'air, et l'horrible chauve-souris fut frappée par un éclair de lumière flamboyante.

Encore tout étourdie, Spica découvrit une silhouette haute et massive, enveloppée dans une ample tunique serrée à la taille par une ceinture de cuir noir. Elle avait de longs cheveux gris et, dans la main droite, tenait un bâton noueux, du sommet duquel s'élevait un mince filet de fumée.

– Qu'est-ce que c'était ? parvint-elle finalement à articuler.

La silhouette se tourna si brusquement que Spica sursauta. Sous ses cheveux épais, un visage marqué par les épreuves et éclairé par deux yeux perçants se fixa sur elle.

– Tu l'as donc vu ? demanda-t-il, brusquement, sans cesser de l'observer. Puis il ajouta : Le garçon est déjà parti, n'est-ce pas ?

Spica acquiesça timidement.

– Vous êtes… vous êtes le mage Stellarius ? demanda la jeune fille, en devinant déjà la réponse.

Il se dirigea à grands pas vers la clairière.

– Bien sûr, c'est moi ! Qui veux-tu que je sois ? tonna-t-il. Mais il semble que j'arrive trop tard !

Le mage secoua son bâton et le pointa en direction de la pierre de jade qu'Ombrage avait remise à sa place.

Il murmura quelques mots, puis enfonça sa grosse main au travers du cadre du Portail.

– Bon, apparemment, tes amis ont au moins eu la

présence d'esprit de sceller l'entrée, marmonna-t-il, rassuré.

Spica regarda le Portail sans comprendre, et il dut lui expliquer :

– Ils ont retiré l'obsidienne... la pierre... le catalyseur qui se trouve de l'autre côté...

Puis Stellarius s'immobilisa et considéra Spica en fronçant ses sourcils broussailleux.

– Nous aurons beaucoup à faire ici, les prochains jours...

– *Nous ?*

Spica écarquilla les yeux comme si elle n'avait pas bien compris.

– La chauve-souris rouge qui fonçait sur toi tout à l'heure est un Crépusculaire... Et tu l'as vue ! soupira le mage. Les Crépusculaires sont les pires alliés des Sorcières... Tout le monde n'est pas capable de voir ces créatures infernales. En tout cas, en dehors des Terres Obscures... C'est la raison pour laquelle ton aide me sera précieuse, très précieuse !

– Précieuse pour quoi faire ? Je n'ai fait que les voir...

– Imagine comme il est difficile de les chasser quand on ne les voit pas ! soupira-t-il.

– Les chasser ? balbutia Spica en écarquillant un peu plus les yeux.

Stellarius acquiesça.

– Nous devons tous les attraper… Si nous n'y parvenons pas, le royaume des Elfes Étoilés verra bientôt l'Armée Obscure marcher sur ses terres. Les Crépusculaires sont l'avant-garde des Sorcières.

– Des espions ? demanda-t-elle avec un frisson de terreur.

– Beaucoup plus que cela. D'après ce que j'ai découvert, les Crépusculaires sont les premiers à envahir les lieux que veut asservir le Pouvoir Obscur. Une fois qu'ils sont installés sur le territoire, ils trouvent le moyen d'établir un point de liaison, un nouveau Portail qui met en communication le lieu à conquérir directement avec l'Armée Obscure. Eh bien, les Sorcières vont avoir du fil à retordre ; dans les autres royaumes, je ne suis pas arrivé à temps, mais cette fois, je suis là et je dois combattre les hordes de l'Armée Obscure avant qu'elles n'arrivent. Et toi, tu ne te déroberas pas, n'est-ce pas ?

Spica acquiesça, bien qu'elle soit très troublée et hésitante.

– Je vois que tu as un arc et non pas, comme j'aurais préféré, une arbalète légère… dit le mage.

– Je préfère l'arc.

Stellarius le soupesa en haussant les sourcils.

– Hum… moins puissant, moins précis…

– Je suis la meilleure élève de l'école d'archerie ! protesta la jeune fille.

– Oh, pas la peine de monter sur tes grands chevaux. Atteindre une cible fixe, cela n'a rien de bien sorcier, jeune fille ! Voyons ce que tu sais faire avec cela ! s'exclama-t-il, amusé.

Il sortit une pomme de sa poche, la frotta contre la manche de sa tunique pour la faire briller et la lança en l'air.

Au lieu de retomber à terre, le fruit se mit à voleter devant les yeux ébahis de Spica.

Une parfaite cible mobile !

La flèche vibrait dans l'arc, prête à jaillir, mais Spica avait mal aux bras et elle n'avait pas encore atteint la cible.

– La meilleure élève de l'école d'archerie, disais-tu ? bougonna Stellarius, imperturbable. Dans ce cas… tu vas sûrement faire mouche…

La jeune fille laissa filer une autre flèche, qui dessina dans l'air une ample courbe et alla se planter dans la terre, de l'autre côté du pont.

– Oh ! Quel tir admirable ! se moqua Stellarius, les bras croisés.

– Si tout cela sert à démontrer que je suis incapable et présomptueuse, alors, c'est bon, j'ai compris ! s'écria-t-elle en jetant son arc à terre et en se retournant pour que le mage ne la voie pas pleurer.

– Ah, c'est faire beaucoup d'histoires ! lui reprocha aussitôt Stellarius. Présomptueuse, tu l'es, et même un peu sosotte. Il faut du temps et de la patience pour devenir un bon archer. Et beaucoup d'entraînement. Ramasse ton arc et remets-toi au travail !

Piquée par ce reproche, Spica lança un regard irrité à Stellarius, se baissa pour ramasser son arc et prit brusquement une nouvelle flèche.

Le mage s'approcha et lui arracha la flèche des mains.

– Pas de précipitation ! La première chose à faire est d'alléger les ailerons. Comme ça… dit-il en arrachant quelques plumes au bout de la flèche. La seconde est d'apprendre à se concentrer sur sa cible et non pas sur sa flèche. Tu dois suivre la cible des yeux, avoir le dos souple et ne décocher la flèche que quand tu es sûre de toi. Essaie une fois encore, allez. Puis rentre chez toi et tâche de te reposer, tu en as besoin !

– Mais…

– Je vais te laisser toute seule pendant quelques jours, afin que tu puisses t'exercer au tir à l'arc.

– Mais… voulut encore répliquer la jeune fille.

– Assez parlé ! Les Crépusculaires sont à pied d'œuvre ; je n'ai pas de temps à perdre, je dois me lancer sur leurs traces. Tu profiteras de ce répit pour suivre mes conseils. Je dois pouvoir compter sur toi quand nous partirons à la chasse, expliqua Stellarius d'un ton sec. Et maintenant, au travail, décoche cette flèche !

Spica prit sa respiration, fixa la cible, et c'est seulement quand elle fut certaine de sa trajectoire qu'elle leva l'arc. Soudain, tout sembla naturel et Spica devint l'arc et la flèche.

La flèche fut décochée. Avec un faible sifflement, elle fendit l'air en direction de la cible mobile. Cette fois, elle fit mouche.

11
Les Hauteurs Boisées

La nuit tomba bientôt. Les premières étoiles parurent derrière l'épais couvert feuillu, mais les deux jeunes Elfes ne pouvaient les voir. Ils firent halte sous un grand arbre et s'assirent entre ses racines pour manger un morceau. Puis ils s'enveloppèrent dans leurs manteaux. Tout au long de la journée, Ombrage avait senti que Regulus était un peu perdu, et il lui sembla qu'avec l'obscurité son désarroi augmentait encore.

– On dirait qu'une couverture noire est tendue au-dessus de nous, dit-il en regardant en l'air.

Ombrage leva les yeux vers le feuillage et acquiesça. Cette forêt, très dense, très sombre, ne ressemblait à aucune de celles qu'il avait vues.

Dans le royaume des Étoiles, les forêts d'érables étaient plus lumineuses, moins sauvages.

Tout le jour, ils avaient longé un très vieux sentier, puis la boussole avait indiqué un autre chemin qui s'enfonçait dans un sous-bois. Les fougères le disputaient aux ronces, et des plaques de mousse collées aux plus hautes branches les faisaient ployer pour former de sombres arches.

Les deux amis avaient décidé d'attendre le lever du jour pour s'y engager.

Bien qu'ils soient transis de froid et épuisés par le long chemin qu'ils avaient parcouru en terre inconnue, ils décidèrent de ne pas allumer de feu, pour qu'on ne puisse pas les repérer.

Mais, à présent, il leur semblait que l'obscurité était une prison étouffante et ils éprouvaient cruellement l'absence d'étoiles dans le ciel.

Malgré leur fatigue, ils eurent bien du mal à s'endormir. Chaque rêve paraissait une menace qui glissait autour d'eux, prête à leur sauter à la gorge.

Enfin, après ce qui parut une éternité, l'aube se leva, éclairant faiblement le ciel au-dessus du manteau obscur de la forêt. L'humidité de la nuit fut balayée par un coup de vent qui parvint à s'insinuer sous la lourde couverture des feuilles.

– Que dit ta boussole, ce matin ? demanda Regulus, à qui le repos et la lumière du jour avaient redonné courage.

Ombrage sortit le médaillon de la Reine des Fées et le consulta de nouveau. Il leva les yeux et regarda dans la direction que désignait l'aiguille.

– C'est par là... dit-il en plissant le front.

Ce jour-là, la route fut plus dure.

Après avoir abandonné le vieux sentier, ils se retrouvèrent au milieu d'une végétation plus dense et plus sauvage. Des buissons touffus et épineux accrochaient leurs vêtements et leurs cheveux comme de longues mains osseuses, et ralentissaient ainsi leur progression. Le terrain devint glissant, boueux et pentu. Ils furent contraints de s'arrêter plus souvent pour reprendre leur souffle.

Plusieurs fois, la boussole les obligea à changer de cap. Ombrage craignit qu'elle ne fonctionne mal et il la tapota du doigt, comme pour décoincer un mécanisme enrayé. Mais il savait bien qu'elle était leur seul guide dans ce territoire inconnu, et il suivit donc ses indications avec fidélité. La boussole semblait leur faire parcourir un sentier plein de détours, qu'elle était la seule à connaître.

Quand vint le soir, ils étaient encore au beau milieu de la forêt.

Ils étaient cependant arrivés au sommet d'une éminence au centre de laquelle se dressaient les ruines d'une bâtisse en pierre.

Ils s'aventurèrent entre ces murs éboulés et y découvrirent des fragments de chaînes, des torches,

des épées brisées et des ossements. Sans doute était-ce une ancienne prison.

L'escalier qui conduisait au sommet du seul donjon encore debout était l'un des plus bizarres que les garçons aient jamais vus : il s'agissait d'un grand mât de bois dans lequel étaient fichés des échelons dont l'écartement n'était jamais le même, si bien que, pour arriver jusqu'en haut, il fallait grimper comme un équilibriste, ce qui laissait à ceux qui se trouvaient au sommet tout le loisir de se défendre ou de s'enfuir.

– Et si on montait jeter un coup d'œil ? dit Regulus, heureux de pouvoir enfin revoir le ciel.

– Nous risquons d'être trop visibles là-haut… objecta Ombrage.

– Mais nous pourrons voir les environs !

Le jeune Forestier jeta un coup d'œil à la construction.

– Tu as raison. Allez, montons. Il faut que nous sachions à quoi ressemblent les alentours !

Malgré leur enthousiasme, il fut plus difficile qu'ils ne l'auraient cru de monter cet escalier. Ils arrivèrent en haut épuisés.

Ils s'avancèrent au bord du donjon pour observer les environs, essayant de ne pas dépasser les créneaux. C'est alors seulement qu'ils se rendirent compte qu'ils étaient au milieu d'une forêt aux proportions gigantesques. Tout autour d'eux, ce n'étaient que des arbres. En direction du sud-ouest, une brume grisâtre flottait au-dessus de la végétation, mais, partout ailleurs, une unique étendue ondulait, entièrement recouverte d'arbres.

– Il y a de la fumée, là-bas. Peut-être y a-t-il quelqu'un… dit Regulus avec un vague espoir.

– Mais nous ne savons pas qui, ajouta Ombrage.

Sa boussole n'indiquait pas cette direction, mais le point opposé, vers le nord-ouest, où les hauteurs se transformaient en montagne, d'une couleur vert sombre presque jusqu'à la cime, qui apparaissait comme un éperon de roche semblable à une tête de cheval. Çà et là, on apercevait des pics rocheux et l'on pouvait même distinguer d'autres ruines.

Regulus et Ombrage en étaient stupéfaits.

Le soleil baissait sur l'horizon quand l'appel sourd d'un cor retentit dans la gigantesque forêt, puis se perdit dans les arbres en faisant trembler toute chose. Alors, une nuée noire se souleva à l'horizon et ondoya avec un sifflement aigu, avant de s'évanouir entre les arbres.

– Couche-toi ! ordonna Ombrage en tirant sèchement son ami par la tunique.

Un long moment s'écoula, puis un son semblable au battement de millions d'ailes et aux grincements de milliers de dents s'approcha et s'éloigna comme une vague.

Terrorisés, les deux garçons restèrent allongés par terre et ne se relevèrent que quand le bruit s'éloigna. Mais ils ne s'approchèrent plus du bord.

– Par toutes les étoiles filantes ! s'exclama Regulus. Je n'ai jamais entendu un son aussi horrible… Qu'allons-nous faire ! Cela pourrait revenir.

– Je ne pense pas, répliqua Ombrage en scrutant le ciel. En fait, il se pourrait bien que cette tour soit l'endroit le plus sûr où passer la nuit…

– En tout cas, nous pourrons au moins voir les étoiles ! murmura Regulus en essayant de rassembler tout son courage.

La nuit s'étendait sur le royaume perdu quand les deux

amis explorèrent le donjon à la recherche d'un abri. Le froid était devenu glacial, mais les garçons s'étaient interdit d'allumer un feu.

– Regarde ! s'écria soudain le jeune Forestier en faisant un pas de côté.

Une légère clarté émanait des dalles du donjon. Sous les yeux stupéfaits des deux garçons, des dessins apparurent sur la pierre, traçant une sorte de carte.

– Qu'est-ce que cela peut bien être ? balbutia Regulus.

On aurait dit que le dessin puisait sa lumière dans un reflet lointain. Ombrage leva les yeux et Regulus, indiquant le front de son ami, s'exclama, stupéfait :

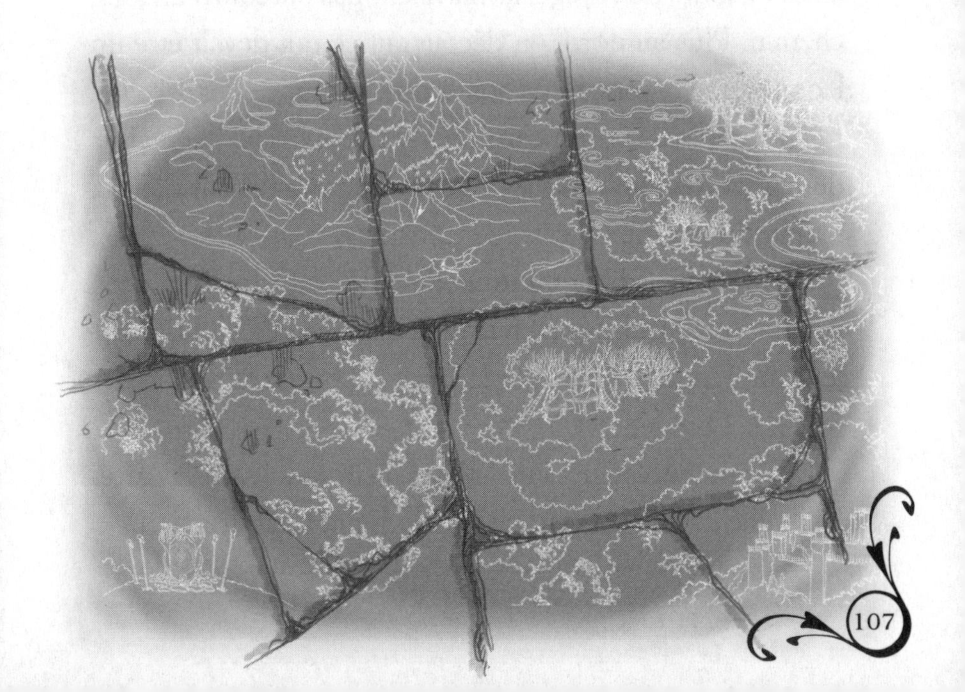

– La lumière provient de ton étoile !

Ombrage regarda de nouveau le sol et posa une main sur son front : la lumière s'obscurcit sur la carte. Son cœur bondit dans sa poitrine. Sirius, l'étoile qui le guidait, lui indiquait un chemin, même dans ce royaume inconnu !

Plein de confiance, Ombrage suivit du doigt le fin tracé de la carte, qui semblait gravé sur la pierre avec des lignes irrégulières. On distinguait un bâtiment perdu au cœur d'une forêt, et près duquel on pouvait lire : *Cité Grise*, tandis que, sur les montagnes, s'étendait l'inscription *Hauteurs Boisées*. Dans un coin de la carte était dessiné le Portail du royaume perdu. Les garçons constatèrent que, en deux jours de voyage, ils n'avaient pas parcouru un long chemin. Plus au nord, on découvrait ce qui devait être un lac avec une montagne en son centre, nommée *Pic Argenté*.

– Alors, où nous conduira ta boussole, demain ? demanda Regulus, en regardant l'objet qui brillait dans la main de son ami.

Sur le rebord métallique de la boussole figurait à présent une inscription en caractères argentés, qui tiraient leur lumière de l'étoile sur le front d'Ombrage. On lisait : *Force et Courage !*

Le jeune Forestier sourit et posa la boussole sur la carte. L'aiguille oscilla un instant puis indiqua une direction.

– Les Hauteurs Boisées… murmura-t-il en levant les yeux sur Regulus.

– Si la boussole dit « Hauteurs Boisées », ce seront les Hauteurs Boisées ! s'exclama Regulus. Pourtant, je peux t'assurer que, à l'idée de toute cette verdure, je ne suis pas spécialement de bonne humeur… Je ne sais pas ce que je donnerais pour un beau sentier, bien dégagé, comme celui qui mène au Bourg des Maisons aux Toits Pointus…

– Il vaut mieux dormir, maintenant. Sinon, demain, nous n'aurons pas la force de parcourir plus d'une demi-lieue… ajouta Ombrage en bâillant.

Il jeta un dernier regard à la carte et se retourna pour observer le ciel.

Enfin, il s'allongea sur le sol, les mains croisées derrière la nuque et, rassuré par le spectacle des étoiles, dormit profondément jusqu'au matin.

12

Flammes et sifflements

Il faisait encore nuit quand Ombrage se réveilla, mais l'aube était proche. Un merle siffla, l'air paraissait épais, lourd d'angoisse. Ombrage posa une main sur l'épaule de son ami pour le réveiller. Regulus marmonna et ouvrit un œil.

– Bon sang… j'étais en train de rêver à ce si délicieux sirop d'érable…

Puis, se rappelant où il était, il secoua la tête.

– Que se passe-t-il ?

– Je crois qu'il vaut mieux déguerpir, il va faire jour d'un moment à l'autre, répondit Ombrage.

Regulus s'étira et regarda les dalles du donjon.

– Les signes ont disparu… Crois-tu que nous avons rêvé ? demanda-t-il en passant la main sur la pierre où ils avaient vu la carte.

– Non, déclara Ombrage en s'avançant au bord du donjon pour scruter les environs, mais j'avoue que l'idée d'aller dans cette direction ne me dit rien qui vaille.

Regulus tourna ses yeux bleus en direction des Hauteurs Boisées et soupira.

– N'es-tu pas un Forestier ? Tu dois aimer les forêts impénétrables.

– Je les aime, en effet. C'est celle-là qui ne me plaît pas… répondit-il sans cesser d'observer la forêt d'un œil inquiet. Elle a quelque chose de bizarre. Elle est trop silencieuse !

– Bah. Il me semble que nous aurions déjà dû rencontrer quelqu'un. Il n'y a apparemment pas grand monde dans le coin, en dehors des chauves-souris, remarqua Regulus. Et je ne sais pas s'il faut le regretter ou s'en réjouir.

Ombrage acquiesça en consultant la boussole.

– Descendons. Il vaut mieux se mettre en route ! dit-il.

– Comment cela ? Sans prendre de petit déjeuner ? J'ai faim, moi ! protesta Regulus.

Ombrage sourit et lui lança un petit pain aux raisins.

– Tu veux rire ! Ça ne me suffira jamais…

– Il faudra t'en contenter. Si, pour atteindre les Hauteurs Boisées, nous n'avons pas d'autres provisions que celles que nous avons emportées, nous n'aurons pas beaucoup à manger. Il vaut mieux commencer à se rationner. Nous ne savons même pas exactement dans quelle direction nous allons ni combien de temps durera le voyage.

– Tu crois ? En route, nous trouverons bien des fruits, des baies… déclara Regulus en regardant le petit pain d'un air désolé.

– C'est possible, mais nous ne le savons pas encore.

– Très bien. Parfait. J'ai compris. C'est toi le chef…

Ombrage allait éclater de rire, quand un bruit soudain le fit se retourner vers la poutre qui servait d'escalier et

qui, la veille, leur avait permis de grimper au sommet du donjon. Il s'approcha de la trappe par laquelle ils étaient arrivés et intima silence à Regulus. Le garçon arma son arbalète.

La poutre bougea légèrement et Ombrage se pencha. Au début, il ne vit rien, puis il distingua une petite forme qui grimpait le long de la poutre.

Il recula.

– C'est en train de monter !

– Qu'est-ce que c'est ? demanda Regulus, la bouche pleine.

Ombrage secoua la tête et posa la main sur son arbalète. Certes, la créature était petite, mais cela ne signifiait pas qu'elle n'était pas dangereuse.

Il n'avait pas rencontré d'animaux dans la forêt, et c'était une des raisons pour lesquelles l'endroit ne lui était pas sympathique.

Autour de lui, il n'y avait vraiment pas d'autres issues. En fin de compte, cela n'avait peut-être pas été une très bonne idée de se réfugier là-haut : ils étaient pris au piège.

Il recula encore et sa main renversa une petite pierre qui tomba sur les dalles en rebondissant deux ou trois fois.

La créature sur la poutre s'arrêta, pétrifiée, et ses yeux jaunes scintillèrent à peine dans la pénombre, scrutant le sommet de l'échelle.

Pendant un instant, Ombrage se demanda ce que cela pouvait être. Un chat sauvage ? Un petit lynx ?

Il regarda ses yeux jaunes et les yeux le fixèrent. Tout son être fut secoué par un frisson.

Aussitôt après, il entendit un bruit aigu et l'air se remplit d'une odeur de soufre et de cendre.

Regulus se pencha en bandant son arbalète. Tout arriva en moins d'une seconde. Il y eut un glapissement imperceptible, un bond, et la poutre oscilla. Puis une étincelle jaillit et Ombrage eut à peine le temps de reculer qu'une longue flamme verdâtre s'enroulait autour de la poutre. Le bois craqua et se transforma aussitôt en un monceau de cendres noires.

Regulus tomba à la renverse et éteignit une mèche de

ses cheveux qui avait pris feu, tandis qu'Ombrage, bondissant sur ses pieds, se précipita vers le parapet. Il pointa son arbalète et décocha un trait, mais la petite créature aux yeux jaunes s'esquiva sans être touchée.

– Nous sommes fichus ! s'exclama Regulus, toussant à cause de la fumée. Je ne sais pas ce que c'était, mais cette petite créature a réduit la poutre en cendre ! Comment allons-nous redescendre ?

L'air se remplit d'un sifflement qui s'éloignait. Il fut suivi d'un nouveau sifflement, plus faible et plus lointain, et d'un autre encore.

Regulus leva les yeux et regarda en l'air. Dans le ciel du matin s'étirait une épaisse fumée noire.

– Je crois que redescendre sera le cadet de nos soucis, dit-il en serrant les dents.

Il fouilla dans sa besace et en sortit une corde.

– Il vaudrait mieux se dépêcher… ajouta-t-il.

Le garçon attacha la corde à une saillie de pierre, puis la lança à Ombrage. Celui-ci donna un coup de pied dans la poutre calcinée, qui s'effrita en mille morceaux, puis il laissa couler la corde dans le vide et commença à descendre.

13

CHASSEURS ET PROIES

Dans la pâle lueur de l'aube, Ombrage attendit que Regulus l'ait rejoint pour explorer les alentours, à la recherche des traces qu'avait pu laisser le mystérieux agresseur. Il ne vit que de minuscules griffures qu'il fut incapable d'identifier.

– Quel animal peut bien avoir laissé ces empreintes ? demanda son ami apeuré.

– Je l'ignore. Je n'ai jamais rien vu de semblable à la maison, répondit Ombrage en se redressant.

Il jeta un regard circulaire, réfléchissant à ce qu'il venait de dire. Le mot « maison » lui évoquait des collines éblouies de soleil, des arbres verts, vivants, couronnés de feuillages parfumés, un ciel clair sillonné de légers nuages blancs, des conversations joyeuses… en deux mots : la Coupole. Pourtant, il se l'était souvent dit ces derniers temps, ce n'était pas vraiment sa maison. C'était celle de Regulus, de Spica et d'Eridanus. Pas la sienne.

Chez lui, c'était là, c'était cette terre asservie au Pouvoir

Obscur : il avait entendu son appel, mais, à présent, ces cris mystérieux la lui rendaient effroyable.

Sa main se porta instinctivement à la boussole de la Reine des Fées et effleura la devise qui y était gravée : *Force et Courage !*

Eh bien, se dit-il avec un frisson d'orgueil, la décision avait déjà été prise et il saurait en affronter les conséquences.

– On y va ! lança-t-il.

– En route pour les Hauteurs Boisées, murmura Regulus.

Ombrage précisa :

– C'est vers là que se dirigent les empreintes de la créature. Ouvrons l'œil !

Ils se remirent en route : ils avançaient avec difficulté et furent bientôt engloutis par une végétation dense, humide, où la lumière ne pénétrait presque pas, où il n'y avait pas un souffle d'air. Puis, soudain, l'aspect des arbres commença à changer. Certains étaient secs et rachitiques, d'autres étouffés par des plantes grimpantes.

– Tu crois que la créature est toujours dans les parages ? s'enquit Regulus, alors qu'ils s'enfonçaient dans un sous-bois encore plus sombre et plus impénétrable.

– Je n'en ai pas la moindre idée. Mais personne ne semble être passé par là depuis des années…

Ombrage enjamba un tronc pourri qui s'était abattu en travers du chemin et s'avança au milieu de deux rangées de champignons noirs. Il lui sembla que quelque chose avait bougé dans les frondaisons… Mais ce n'était peut-être que le vent. À moins que ce ne soit leur peur.

– As-tu une idée de ce qu'est un si petit animal, qui crache le feu et qui est capable d'embraser une poutre ? demanda Regulus.

– Je ne vois pas. À part un Dragon.

Regulus soupira.

– Non. Tu as dit que c'était petit, alors que les Dragons sont des créatures plutôt… encombrantes !

– Tu as l'air d'être un spécialiste du sujet !

– Papa possède un traité de dragologie dans sa bibliothèque. Il fut un temps où je ne lisais que ça…

– Tu parles de l'époque où tu avais trouvé cet os dans la campagne ?

Regulus acquiesça.

– Oui. J'étais persuadé qu'il appartenait à un Dragon et je cherchais à prouver que j'avais fait une grande découverte. C'était pour le musée, tu sais… Chez nous, il n'y a plus de Dragons depuis longtemps… Bon, évidemment, j'avais tort, mais cela m'a quand même permis d'apprendre plein de choses.

– Par exemple à ne pas te vanter ? dit Ombrage d'un ton moqueur.

Regulus sourit en soupirant.

– Voilà que tu parles comme Mérope. Sais-tu qu'il existe plus de trois cent cinquante espèces de Dragons ? Évidemment, les plus célèbres sont celles appartenant aux grandes familles, celle des Dragons Parleurs, notamment, mais il existe aussi des Dragons sauvages, des Dragons des grottes, des marécages, des montagnes… Pourtant, les gens ignorent presque tout de ces créatures. Nombre d'entre elles sont englobées dans la famille des Dragons bien qu'elles n'y soient aucunement apparentées. Mais je ne me souviens pas d'avoir jamais lu quoi que ce soit sur les Dragons des forêts…

– Ce qui ne signifie pas qu'il n'en existe pas.

– C'est vrai ! Mais, si j'étais un cracheur de feu, il ne me semblerait pas indiqué de vivre au milieu des bois, de risquer en permanence d'incendier la forêt et d'être découvert ! Et puis les Dragons, en tout cas ceux qui sont sauvages, sont des créatures assez solitaires…

Il ne finit pas sa phrase, car, levant un bras, Ombrage lui fit signe de se taire.

– Tu as entendu ? chuchota le Forestier.

– Entendu quoi ?

Ombrage se tourna dans la direction dont provenait le bruit et se tut. Il semblait que la forêt aussi était aux aguets. Pendant un long moment, on n'entendit rien d'autre que leur respiration et leur cœur qui battait, puis il y eut un autre bruit, lointain et prolongé. Comme un gémissement cruel et désespéré.

Cette fois, Regulus l'entendit aussi et, instinctivement, serra le bras de son ami.

Ombrage s'élança avant que le gémissement ne se répète. Il se mit à courir, sautant par-dessus les ronces ou les piétinant pour se frayer un chemin, suivi par Regulus qui avait du mal à ne pas le perdre de vue.

– Par toutes les étoiles ! Pourrais-je savoir ce qui te prend ? dit Regulus, haletant. Où vas-tu ?

Ombrage ne s'arrêta que lorsqu'il eut atteint une sorte de clairière. Alors, il ralentit et fit signe à son ami de l'imiter. Les deux garçons restèrent à l'écoute, essoufflés.

– Tu n'as pas entendu ces voix ? murmura Ombrage, sans cesser de regarder autour de lui.

– Non. Rien que ce gémissement, dit Regulus. Tu crois qu'on nous épie ?

– C'est ce que je veux tirer au clair !

Le hennissement d'un cheval lui répondit en écho.

Les deux amis échangèrent un signe d'entente, puis ils se séparèrent et se dirigèrent vers le point dont semblaient provenir les voix, en suivant deux itinéraires différents.

À pas de loup, Ombrage parvint à s'approcher d'un groupe d'ombres composé de deux chevaux noirs et de trois personnages.

L'un d'eux avait mis pied à terre et essayait d'immobiliser une créature qui se débattait.

– Être maléfique ! Tu m'as mordu ! se plaignit la silhouette en se relevant.

Elle avait la main en sang : elle déchira une bande de tissu à sa manche et la noua autour de la blessure en s'aidant de ses dents pour faire un pansement. Ce personnage paraissait bien moins grand que les deux autres silhouettes, gigantesques.

– Que faites-vous là, encore, les bras ballants ? Mettez-le en cage ! N'oubliez pas que votre patron, le Roi Garou, vous a ordonné de m'aider ! hurla-t-il à ses compagnons qui, pendant tout ce temps, étaient restés immobiles.

– C'est à toi de chasser et de relever les pièges, rétorqua l'un des deux colosses d'une voix profonde. Nous, notre seul devoir est de faire en sorte qu'il ne t'arrive rien de fâcheux quand tu es de sortie.

– Eh bien, cette chose vient de me mordre : il m'est donc arrivé quelque chose de fâcheux…

Ombrage aperçut le visage de celui qui parlait. C'était un Elfe malingre et souffreteux, aux cheveux châtains et aux vêtements crasseux ; ses yeux, enfoncés dans leurs orbites, brillaient d'une lueur ambiguë.

Le colosse s'avança vers la curieuse créature qu'Ombrage ne parvenait pas à voir et l'empoigna dans son énorme main. Il y eut une espèce de ricanement, puis la créature fut fourrée dans un sac et jetée dans une cage sur un chariot.

Enfin, Ombrage put apercevoir quelques détails des deux colosses : ils endossaient de lourdes armures et leurs visages étaient couverts d'épaisses capuches.

Il ne pouvait pas en être sûr, puisqu'il n'en avait jamais vu, mais il aurait juré que c'étaient les lugubres Chevaliers sans Cœur, les plus dangereux soldats de l'armée de la Reine Noire.

Les légendes rapportaient que ces Chevaliers sans Cœur étaient de terribles armures sans corps, capables de lutter sans répit, sans qu'on puisse jamais les vaincre, ni les blesser, ni les tuer.

Dans sa cachette, Ombrage sentit un frisson lui parcourir l'échine, puis il tendit l'oreille pour écouter leur conversation.

– En tout cas, j'espère que les autres pièges auront capturé des Dragons à plumes : comme ça, votre reine

pourra avoir son manteau de plumes ! Elle m'en a fait tellement chasser que, maintenant, pour en trouver, nous devons nous aventurer dans la région des arbres bleus, et, franchement, je préférerais éviter ça ! s'exclama l'Elfe. Bon, allons-y, nous avons encore quelques pièges à relever.

Les deux Chevaliers se hissèrent sur leurs montures, et l'Elfe, s'approchant du chariot, empoigna le brancard et le tira derrière lui, d'un pas las.

Ombrage attendit qu'ils se soient éloignés avant de descendre dans la clairière. Le piège, couvert de feuilles sèches, était parfaitement invisible. On sentait flotter dans l'air une vague odeur de soufre.

Le garçon étudia le terrain, pendant que Regulus sortait de derrière son arbre.

– Ils l'ont pris ! dit Ombrage.

– Quoi donc ? demanda Regulus, inquiet.

– Ils ont parlé d'un Dragon à plumes ; je crois que c'était celui qui a fait brûler l'échelle du donjon.

– À quelque chose malheur est bon, remarqua Regulus. S'ils l'ont attrapé, il ne nous embêtera plus.

– Hum… murmura Ombrage.

– Que penses-tu de ces types ?

– Je crains que ce ne soient des Chevaliers sans Cœur.

Je les ai entendus parler et il semble qu'ils escortaient ce chasseur de Dragons…

– Oui, c'est ce que je crois, approuva Regulus.

Ombrage darda le regard en direction du sentier.

– Viens, dit-il en s'enfonçant de nouveau dans la forêt, cette fois le long du sentier. Et fais attention où tu mets les pieds.

Regulus hésitait.

– Pourquoi les suivre ? Si ce sont vraiment des Chevaliers sans Cœur, je n'ai aucune envie de me frotter à eux…

– Moi non plus. Mais peut-être parleront-ils encore et nous avons besoin d'informations. J'ai entendu le chasseur évoquer une région dangereuse… Il devrait y avoir des arbres bleus…

– Bleus ? Je n'ai jamais vu d'arbres bleus… marmonna Regulus.

Ombrage poursuivit son chemin sans un mot, jusqu'à ce qu'ils se rapprochent suffisamment du groupe pour entendre leur conversation.

Mais le chasseur et les deux Chevaliers parlèrent très peu. Les autres pièges étaient vides et le chasseur commença à se plaindre.

– Oh, elle ne va pas être contente. Non. Votre patronne ne sera pas du tout contente quand elle saura que je n'ai capturé qu'un misérable petit Dragon… En plus, le soir tombe, il vaut mieux rentrer !

– Au lieu de te plaindre, remarqua la voix sombre d'un des deux Chevaliers, installe donc d'autres pièges.

– Je n'irai pas plus loin avec la lumière qui baisse, marmonna le chasseur d'une voix aiguë, je ne suis pas invincible, moi ! Et je n'ai pas non plus la magie pour m'aider…

Les deux Chevaliers échangèrent un regard glacial.

– Dans ce cas, cesse de te plaindre et retournons à la ville, dit l'un deux.

Leurs voix étaient si profondes, si caverneuses, qu'elles donnaient la chair de poule.

Il y eut un bref silence, puis le chasseur soupira.

– J'ai encore deux pièges. Il vaut mieux que je les installe. Oui. Je les mettrai là-bas, à la limite du vallon… ajouta-t-il de mauvais gré pendant qu'il empoignait ses engins grinçants aux dents aiguisées et tachées de sang séché. Peut-être prendrai-je quand même quelque chose.

Mais il vaut mieux laisser ici les chevaux et le chariot, je veux tendre les pièges à l'écart du sentier.

Le chasseur s'enfonça dans la végétation. Les deux Chevaliers descendirent de cheval et le suivirent, d'un pas ample et puissant, faisant craquer les arbustes sur leur passage comme si c'étaient de simples brindilles.

Ombrage et Regulus se regardèrent. Le premier dit :

– Reste ici !

– Que veux-tu faire ?

– Je vais jeter un coup d'œil à ce chariot.

– Pourquoi cela ?

– Il pourrait y avoir quelque chose d'utile là-dessus…

Sans laisser à Regulus le temps de répondre, il ôta sa besace, la confia à son ami et se dirigea vers le chariot.

14
ARCS ET ARBALÈTES

Tandis qu'il s'approchait du chariot, le cœur d'Ombrage battait la chamade. Il ne savait pas pourquoi il allait là-bas, mais il fut si prudent et si silencieux que même les chevaux ne le remarquèrent pas.

Il contourna le chariot et se releva juste assez pour jeter un coup d'œil à l'intérieur. Il aperçut des cordes, une hachette ébréchée, des flèches brisées, quelques bouquets d'herbes malodorantes, des sacs de baies poisseuses, des champignons et deux faisans morts. Il y avait également une grande quantité de cages ; certaines étaient pliantes, d'autres fixes.

Toutes étaient vides.

Sauf une.

Des émanations sulfureuses montèrent du sac dans lequel était enfermé le Dragon à plumes.

Ombrage approcha la main de la serrure, mais, soudain, un chuchotement rauque l'immobilisa.

– Ouvre la cage ! dit une voix dans son dos.

La pointe d'un poignard s'enfonça entre ses côtes.

Ombrage retint sa respiration et la voix répéta :

– J'ai dit : ouvre cette cage ! Et je ne le répéterai pas une troisième fois !

Le garçon leva lentement la tête et répondit prudemment :

– Je n'ai pas la clef.

– Allons bon, le serviteur du chasseur n'a pas la clef... Comment est-ce possible ? Ainsi donc, ton patron n'a pas assez confiance en toi ?

– Je ne sais pas de quoi tu parles, objecta Ombrage, serrant les dents.

La pointe du poignard appuya plus fort entre ses côtes.

– Ça suffit, maintenant. Tu ne vas pas me dire que tu ne sais pas forcer une serrure aussi simple ?

– Pourquoi cette bestiole t'intéresse-t-elle autant ? demanda le garçon.

– Ça, c'est mon affaire, répondit l'autre, et un petit crochet tomba à terre devant Ombrage.

– Fais-le toi-même ! rétorqua-t-il.

– Bien sûr, comme ça, tu pourras tranquillement m'assommer et me livrer aux Chevaliers, comme une belle proie pour tes amies Sorcières ? Non, merci ! Allez, obéis !

Ombrage se demanda où était Regulus et ce qu'il attendait pour intervenir. D'ici là, il était bien obligé d'obéir. Il ramassa le crochet et commença à forcer la serrure. Quelques instants plus tard, la cage s'ouvrit.

– Qui que tu sois, abaisse ton poignard ! Et n'essaie pas de bouger ! siffla la voix de Regulus derrière eux.

Ombrage sentit la pointe aiguë qui s'écartait de ses côtes et il s'exclama, soulagé :

– Tu en as mis du temps, mon ami !

Il se retourna et découvrit une silhouette emmitouflée dans un manteau vert orné de feuilles ; le visage était dissimulé sous une capuche et par un col relevé sur la bouche, mais les yeux brillaient de colère. Ombrage s'empara de l'arme qui l'avait menacé.

– Posez vos armes à terre ! intervint soudain une nouvelle voix.

Une seconde silhouette cachée sous un manteau vert orné de feuilles se détacha des fourrés : elle bandait un grand arc dont la flèche était pointée sur Regulus.

L'arbalète du jeune Étoilé trembla et, d'un geste vif, la première silhouette mystérieuse fit voler en l'air l'arme de Regulus. La corde déjà tendue vibra et la flèche partit, traversant la voûte obscure des feuilles, pour retomber, silencieuse et rapide, à côté du chariot.

Ombrage se jeta alors sur la créature qui, un instant plus tôt, l'avait menacé : surprise, celle-ci tomba à la renverse et se retrouva avec son poignard appuyé sur son cou.

– Et maintenant, dit Ombrage, nous sommes à égalité. Ton ami menace mon ami, et je te menace, toi. Nous avons deux manières de sortir de cette situation. L'une est bien meilleure que l'autre, mais je te laisse le choix !

– Tu peux me tuer, si tu veux. De toute façon, ma vie ne compte pas ! répondit avec mépris le personnage allongé par terre.

– Ce n'est pas ce que pense ton ami, sinon il n'aurait pas accouru pour t'aider ! siffla Ombrage.

– Il pourrait vous tuer tous les deux et échapper à vos amis Chevaliers !

Ombrage serra la main sur l'épaule de l'inconnu avec plus de force.

– Ce ne sont pas nos amis ; nous ne savons même pas qui ils sont !

– Vous ne savez pas qui ils sont ? Des serviteurs de la Reine Noire et de son Roi… Des assassins…

– Et vous, qui êtes-vous ? rugit Ombrage.

– Des gens qui veulent revivre ! déclara-t-il, avec fierté et colère.

Ombrage relâcha imperceptiblement sa prise.

– Alors nous sommes du même côté !

– Mensonges !

– Nous venons du royaume des Elfes Étoilés. Nous sommes ici pour vous aider, si vous êtes bien ceux que vous prétendez être… intervint Regulus.

Ils tendirent l'oreille vers la forêt, dont les Chevaliers sans Cœur et le chasseur risquaient de sortir d'un moment à l'autre.

– Vous mentez ! Personne ne peut venir du royaume des Étoiles ! Le Portail est clos depuis des temps immémoriaux !

– Regarde mon ami… As-tu jamais vu un Elfe tel que lui ? dit Ombrage.

La créature emmitouflée parut se calmer un instant et le garçon eut l'impression que son compagnon, lui aussi, abaissait légèrement l'arc qu'il pointait sur Regulus. Peut-être y avait-il une possibilité de les convaincre qu'il ne leur avait pas menti.

Mais de nouvelles paroles de mépris jaillirent du col du manteau :

– Ça, ce n'est pas un Elfe, c'est une plaisanterie de la nature… ou une expérience des Sorcières. Un de leurs esclaves…

– Ce n'est pas vrai ! s'écria Regulus, indigné.

Les yeux d'Ombrage croisèrent ceux de l'Elfe qui tenait l'arc et y lurent l'incertitude, l'ombre d'un doute. Peut-être était-ce avec lui qu'il fallait traiter…

– Je libère ton ami si tu abaisses ton arc, proposa-t-il avec fermeté.

– Ne l'écoute pas !

– Ne fais pas ça ! s'exclama Regulus.

Indécis, l'archer se redressa et dit :

– Libère d'abord Rob, je baisserai mon arc après.

– Ne tombe pas dans le piège qu'il te tend ! gémit l'Elfe couché à terre.

– Il y a bien eu un éclair du côté du Portail… remarqua l'archer.

– C'était nous ! acquiesça Ombrage en essayant de garder son calme.

Il relâcha sa prise et détourna la lame pour qu'elle ne puisse blesser personne.

– Voilà, dit-il en levant les bras.

– Tue-les ! s’écria Rob.

Mais son compagnon hésita.

– Où étiez-vous, hier soir ?

– Nous étions dans les ruines d’une vieille prison, répondit Regulus.

– Pourquoi ?

– Ce sont ceux que l’escadre et Soufretin ont vus… Ils sont dangereux ! siffla Rob.

L’archer abaissa son arc. Son visage était caché, jusqu’au nez, par le col de son manteau, mais Ombrage eut l’impression que ses yeux s’étaient éclairés.

Soudain, un bruit de brindilles cassées prévint les quatre Elfes que le chasseur et les deux Chevaliers revenaient sur leurs pas. Les chevaux piaffèrent et hennirent avec nervosité.

– Ils arrivent ! s’exclama Regulus.

– Vite ! Fuyons ! siffla l’archer.

Ombrage aida la créature emmitouflée à se relever. Celle-ci sortit le Dragon de sa cage, le serra sous son bras

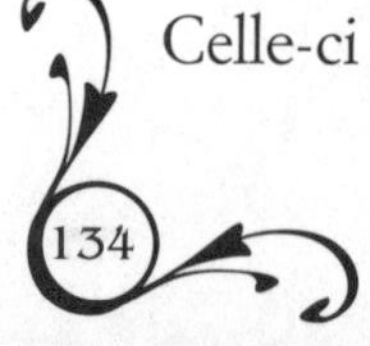

et lança un regard oblique aux deux garçons. Puis, tandis qu'Ombrage essayait de retirer la flèche de Regulus qui s'était plantée dans la terre près du chariot, il lui fit un croc-en-jambe. La tunique d'Ombrage frôla le piège, dont les mâchoires claquèrent avec un bruit sec. D'un geste vif, le garçon arracha l'étoffe pour se dégager, puis il s'éloigna, laissant la flèche là où elle était tombée.

Il escalada la colline aussi vite qu'il le pouvait, en s'enfonçant dans les fourrés.

Quand il eut rejoint les autres, Ombrage continua de regarder la clairière.

– La flèche de Regulus… S'ils la trouvent, nous allons avoir des problèmes, marmonna-t-il en plissant le front.

Ils retinrent leur respiration, pendant que le chasseur revenait en louvoyant entre les arbres. Il grommela quelque chose, s'approcha du chariot et, pendant un instant, Ombrage craignit qu'il n'ait vu la flèche. Les yeux du chasseur brillaient d'une étrange lueur, sondant les alentours comme s'il recherchait quelqu'un. Enfin, il se retourna vers les puissants Chevaliers.

Il soupira et se mit à rouspéter : la cage était ouverte, et la proie, la seule qu'il avait attrapée ce jour-là, avait réussi à s'enfuir. Il allait déposer une réclamation auprès de Sa Majesté : les Chevaliers censés l'escorter prenaient leur mission à la légère, et à cause d'eux, il était impossible de rapporter du gibier. Il paraissait de fort mauvaise humeur. Il jeta sur le chariot un paquet de chaînes et scruta de nouveau les fourrés d'un regard acéré. Puis il se mit en route, escorté par les deux Chevaliers, sans cesser de marmonner.

Sur leur passage, les visages sombres des Chevaliers sondèrent froidement les alentours ; puis le groupe s'engagea sur la vieille route.

Quand Ombrage se retourna, l'archer inconnu pointait de nouveau son arc sur eux.

15

BRUGUS ET ROBINIA

mbrage et Regulus s'assirent sur des pierres, après que leurs armes eurent été confisquées et que Rob eut récupéré son poignard.

– Ce n'est pas exactement le remerciement que nous attendions, ironisa Regulus en secouant la tête, même si je dois reconnaître que j'avais grand besoin de m'asseoir, après avoir tant marché !

L'irritation du garçon n'eut aucun effet sur l'archer.

– Des remerciements ? De quoi devrions-nous vous remercier ? Pour un peu, vous nous faisiez capturer… Et, qui que vous soyez, je n'ai aucune envie de voir de près les prisons de la Cité Grise.

Regulus allait répondre quelque chose de très discourtois, mais Ombrage l'arrêta en posant une main sur son épaule et dit :

– Nous avons couru le même risque par votre faute.

Cette phrase sembla déconcerter un moment les deux

Forestiers, mais l'archer, qui les menaçait toujours de son arme, répliqua :

– C'est possible. Mais nous ne pouvons nous fier à la parole de deux inconnus…

Rob ricana sous son manteau.

– Deux inconnus qui prétendent venir d'on ne sait où et que Soufretin avait déjà repérés avant-hier… Deux inconnus qui savent très bien où ils vont, puisqu'ils sont parvenus à éviter tous les pièges, les nôtres et ceux des gardes Loups-Garous…

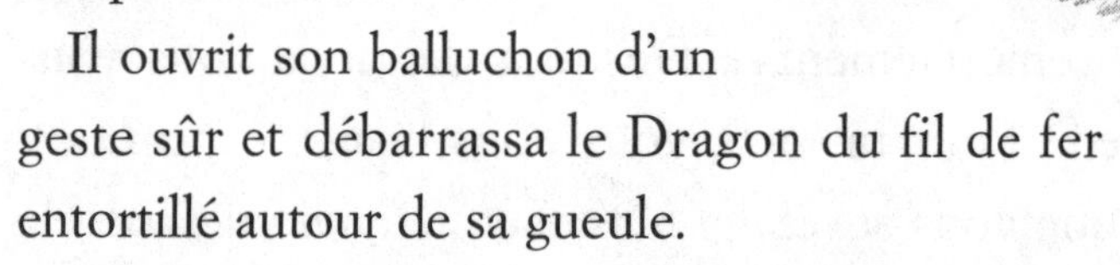

Il ouvrit son balluchon d'un geste sûr et débarrassa le Dragon du fil de fer entortillé autour de sa gueule.

– Voilà longtemps que nous n'avions pas vu de nouveaux visages dans le coin, ajouta l'archer. Et je dois reconnaître que vos armes sont faites d'un bois particulier que nous n'utilisons pas ici, et qu'elles sont différentes des nôtres…

– Visages nouveaux égalent traîtres, tu devrais pourtant le savoir, maintenant ! Ça s'est toujours passé comme ça ! explosa Rob.

– En tout cas jusqu'à ce jour, répondit l'archer, hésitant.

Le Dragon poussa un cri aigu, ses naseaux crachèrent un peu de fumée et il se réfugia dans les mains de Rob, qui le retourna en souriant et lui gratta le ventre.

– Ça va mieux, n'est-ce pas, Soufretin ? murmura-t-il d'un air complice et amusé.

Le Dragon siffla et s'accrocha au manteau, observant les deux garçons de ses yeux jaunes.

Ombrage fixa Rob, qui lui lança un regard de mépris.

– Quelles sortes de créatures prétendez-vous donc être ?

– Quelles sortes de… Dis donc, minus, sers-toi de tes yeux ! grogna Regulus.

– Minus ? s'exclama Rob, furieux, en bondissant sur ses pieds et en serrant les poings.

Soufretin sortit la tête de dessous son manteau et cracha une boule de fumée verdâtre.

– Elle est bonne, celle-là, tu ne t'es pas aperçu que tu étais plutôt bas ? insista Regulus.

– Ce n'est pas ma faute si toi et ton ami vous êtes restés trop longtemps sous la pluie ! rétorqua Rob, en posant la main sur la tête de Soufretin pour le calmer.

– Je veux savoir qui vous êtes et d'où vous venez, et je veux la vérité. Cela n'a rien d'extravagant ! gronda-t-il en lançant à Regulus un regard féroce.

Ombrage allait répondre, mais il fut devancé par l'archer.

– Ce sont des Elfes. Des Elfes du royaume des Étoiles, dit-il d'un ton sombre.

Rob écarquilla les yeux tandis qu'Ombrage acquiesça.

– Ne sois pas ridicule, Brugus ! s'exclama Rob. Comment peux-tu savoir… ?

– Je suis plus vieux que toi et, quand j'étais enfant, je suis allé au royaume des Étoiles ! dit l'archer, Brugus.

– Personne ne peut aller là-bas, de même que personne ne peut sortir d'ici, et il est donc impossible qu'ils soient ce qu'ils prétendent être !

– Regarde leurs fronts, répliqua Brugus.

Rob se tourna dans leur direction et les examina attentivement. Il s'approcha, puis haussa les épaules avec indifférence.

– Qui te dit que ce n'est pas du maquillage ? N'importe qui peut se tatouer une étoile sur le front. En plus, c'est un ornement d'assez mauvais goût…

– Ce n'est pas un tatouage ! intervint Ombrage, indigné.

– Ça ne fait aucune différence. Je continue à ne pas vous croire ! répondit Rob.

– Robinia, tu sais ce qu'a dit Juniperus… commença alors Brugus.

Regulus et Ombrage échangèrent un regard surpris : ainsi donc, Rob était le diminutif de Robinia...

– Juniperus n'avait plus toute sa tête, et personne ne croit vraiment à ce qu'il a dit. Ce n'était pas une prophétie, pas plus que tout ce qu'il a pu dire d'autre, ce n'étaient que des niaiseries en vers... Il n'y a aucune raison de ressortir cette vieille histoire aujourd'hui !

– Une prophétie ? demanda Ombrage.

– Toi, tais-toi ! lui lança Robinia.

– Et que viendraient-ils faire ici, dans ce cas ?

– Je n'en ai pas la moindre idée. Mais sûrement pas nous libérer ! D'après ce que nous savons, en tout cas... la Reine Noire et le Roi Garou ont dû entendre parler de l'histoire de Juniperus et ils essaient de nous tromper en nous incitant à les mener à notre base pour la détruire ensuite !

Brugus soupira, Robinia eut un mouvement d'impatience et ajouta :

– Oh... par toutes les ronces, réfléchis un peu ! Pourquoi quelqu'un qui vit en sécurité dans un royaume paisible viendrait se fourrer dans notre pétrin, traverserait le Portail pour aller se promener dans un pays qui est aux mains des Sorcières ? Aucune personne douée d'un tant soit peu de bon sens ne ferait une chose pareille !

– Oui, c'est exactement ce que j'ai tenté d'expliquer à mon ami Ombrage, intervint Regulus. Mais il est si têtu qu'il n'a pas voulu m'écouter. Il a décidé de venir en personne jeter un coup d'œil à son vieux monde, pour voir s'il pouvait vous aider…

Ombrage l'interrompit : si Regulus poursuivait, il risquait de tout dévoiler, y compris l'intervention de la Reine des Fées.

– Ton vieux monde ? Qu'est-ce que cela signifie ? demanda Brugus en le dévisageant avec une attention redoublée.

– C'est une longue histoire… répondit Ombrage.

– Ce n'est pas le temps qui nous manque, répliqua Robinia.

Ombrage jeta à Regulus un regard de réprobation, puis se décida à parler.

– Je viens de votre royaume. J'ai été adopté par les Étoilés, il y a très longtemps, à l'époque où les Sorcières ont conquis ces terres… Mais je suis un Forestier, exactement comme vous. Si vous en êtes vraiment… ajouta-t-il en fixant Brugus dans les yeux.

Alors, l'archer tressaillit et abaissa son arme : ses yeux brillaient sous sa capuche, il paraissait profondément troublé…

– Qu'est-ce qui te prend ? l'apostropha sèchement Robinia.

– C'est lui ! s'exclama l'archer d'une voix brisée par une intense émotion.

– Qui, lui ?

– Le fils de Cœurtenace… Je n'arrive pas à le croire !

Et, soudain, il posa son arc et rejeta sa capuche en arrière, révélant une cascade de mèches châtains qui encadraient la tête d'un Elfe entre deux âges, aux sourcils broussailleux et aux yeux luisants.

– Tu n'étais qu'un enfant, à l'époque… Tout le monde a cru que tu étais mort !

– Ce n'est pas possible ! s'exclama Robinia avec violence.

– Et pourquoi pas ? intervint Regulus. Qui était ce Cœurtenace ?

– Tu lui ressembles… Oui, tu ressembles beaucoup à ton père, maintenant que je t'examine plus attentivement. Oh, tes épaules promettent de devenir aussi larges que les siennes, et ton front… Ah, s'il n'y avait pas cette étoile ! S'il n'y avait pas cette étoile, tu serais son portrait craché ! Et cela… cela change tout… vraiment tout !

– Non, Brugus ! s'écria Robinia d'une voix aiguë. C'est le fils d'un traître et d'un assassin ! Ces paroles ne changent vraiment rien et, si j'étais toi, je me réjouirais moins de le revoir ! En supposant, d'ailleurs, qu'il soit vraiment celui que tu imagines !

– Rob !

– Tais-toi ! Et toi, dis-moi, quelle preuve as-tu de ce que tu avances ? ajouta Robinia d'un ton agressif, en faisant un pas vers Ombrage.

– Quel est ton nom ? demanda Brugus.

– On m'appelle Ombrage. Mais, quand j'ai franchi le Portail pour la première fois, mon nom était Audace.

Les yeux de Brugus scintillèrent.

– Ça, tout le monde peut le savoir. Ce n'est pas une preuve ! Ce n'est qu'un nom ! s'exclama Robinia.

Ombrage se rappela ce qu'il avait apporté du royaume des Elfes Étoilés. Il sortit précautionneusement de sa besace la boucle en partie fondue et l'écaille de Dragon, et les tendit aux deux Elfes.

– Qu'est-ce que c'est ? demanda Robinia.

Brugus s'approcha et eut un geste ému. Ses yeux devinrent immensément tristes.

– Une écaille de la queue de Fulminant… et cette boucle… où l'as-tu prise ?

– Elle a été trouvée sur le squelette d'un Loup-Garou, de l'autre côté du Portail… dit Regulus.

– … à côté de l'écaille du Dragon, continua Ombrage.

– Certes, vous savez beaucoup de choses…

– Cet interrogatoire n'a aucun sens ! l'interrompit Regulus, très nerveux. Ces preuves vous suffisent-elles ou pas ?

– Des preuves ? Vous voulez rire ? Cela ne prouve rien du tout ! siffla Robinia.

Elle se retourna brusquement ; Soufretin perdit l'équilibre et tomba de son manteau, faisant glisser la capuche et dévoilant son visage.

Une cascade de longs cheveux châtains ondula, tandis que deux yeux vert d'eau, encadrés par de longs cils sombres, scintillèrent d'un éclat furieux.

Robinia s'écria d'une voix plus haute :

– Rien ! Absolument rien !

Et elle s'enfonça rapidement dans les fourrés.

Brugus jeta un œil attristé vers la forêt qui l'avait engloutie et se baissa pour faire monter le Dragon sur son épaule.

– Il faut que vous l'excusiez. Pour elle, ce n'est pas… un bon moment, murmura-t-il.

Puis il fit un pas en direction d'Ombrage et de Regulus, en leur tendant la main.

– Sachez que vous pourrez toujours compter sur moi. Mon nom est Brugus. Bienvenue chez toi, Audace !

Ombrage observa la grande main calleuse de l'Elfe avec un mélange de peur et d'admiration. Il lui paraissait sincère, aussi se décida-t-il à la serrer. L'Elfe acquiesça puis serra aussi la main de Regulus.

– Toi aussi, sois le bienvenu, frère Étoilé !

– Ainsi donc… Rob… Robinia, bref est… *une* Elfe ! observa Regulus, troublé.

Brugus sourit à peine et acquiesça.

– La plus insupportable, la plus têtue et la plus orgueilleuse que je connaisse ! murmura-t-il en soupirant.

Puis il leur rendit leurs armes, leva la tête, et Soufretin émit une bouffée de fumée verdâtre.

L'Elfe marmonna quelque chose et ajouta :

– Il vaut mieux ne pas rester trop longtemps au même endroit. Ce n'est plus la forêt d'autrefois. Venez.

– Et… elle ? demanda Ombrage en jetant un regard à la forêt où Robinia avait disparu.

– Elle sait comment rentrer chez elle. Quand elle voudra le faire, répliqua Brugus.

– Où allons-nous ? s'enquit Ombrage.

Brugus se retourna vers lui, cacha de nouveau son visage dans sa capuche et répondit :

– À la maison. À Triste Refuge.

16
Triste Refuge

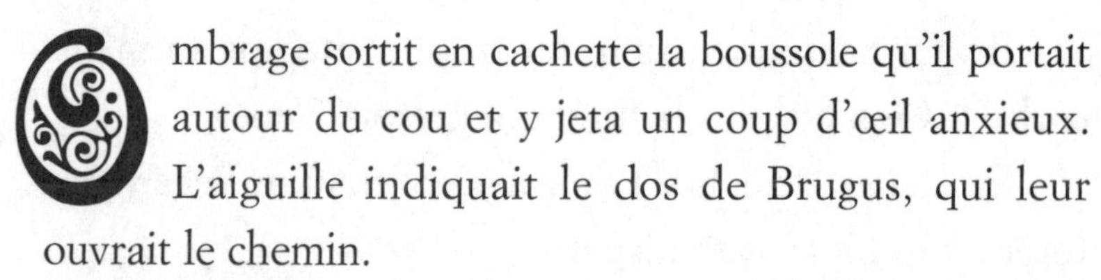

Ombrage sortit en cachette la boussole qu'il portait autour du cou et y jeta un coup d'œil anxieux. L'aiguille indiquait le dos de Brugus, qui leur ouvrait le chemin.

Aucun doute n'était possible. Ils allaient dans la bonne direction. Pourquoi était-il donc aussi inquiet ?

– Toi, dit-il en s'adressant soudain à Brugus, tu connaissais mon père ?

L'Elfe se retourna, sembla se raidir et fixa ses yeux sur lui.

– Je le connaissais.

Il se tut pendant un long moment, comme s'il cherchait ses mots, avant d'ajouter :

– Il a été mon commandant. J'étais jeune, à l'époque, je venais de m'engager dans l'armée de la Ronde. Je voulais protéger les frontières du royaume, notre peuple et le roi… Nous n'avions alors à combattre que des nichées de scorpions, des rats géants, des créatures des terres extérieures et des bandits. Ton père était le meilleur des

Elfes du roi, le plus courageux, un Elfe exemplaire… Tout le monde l'admirait, tout le monde l'estimait !

– Il *était* ? Il est mort ? demanda le jeune Forestier.

Brugus acquiesça, puis se tut.

– Et ma… mère ? hésita Ombrage.

– Acacia est morte en te donnant le jour… répondit l'Elfe lentement, et chacun de ses mots semblait lourd comme un roc.

Ombrage baissa les yeux. Comme dans ses pires cauchemars, il découvrait qu'il ne lui restait plus personne… Il sentait les yeux de Regulus fixés sur lui comme pour deviner ses pensées, mais, pendant quelques instants, il resta sans réaction, puis, quand elles arrivèrent, il les enfouit au fond de son cœur.

– Qu'est-il arrivé à mon père ? Pourquoi Robinia l'a-t-elle accusé d'être un assassin et un traître ? trouva-t-il le courage de demander.

Brugus serra les mâchoires.

– Ce n'est pas le moment d'en parler. Il faudra du temps et de la patience pour révéler ce qui s'est passé alors et, qu'elle le veuille ou non, Robinia elle-même devra accepter la réalité. Vous en parlerez avec Ulmus. Elle sait des choses que les autres ignorent, elle se souvient de ce qui a été trop facilement oublié…

Ombrage ne capitula qu'à contrecœur.

– Qui est Ulmus ? intervint Regulus.

– Notre guide. Voilà de nombreux printemps qu'elle a presque totalement perdu la vue, mais ne vous laissez pas abuser : le regard d'Ulmus est bien plus profond que celui de ceux qui ont encore une bonne vue ! Maintenant, faisons silence, nous y sommes presque !

Ils traversèrent un ruisseau où coulait un filet d'eau boueuse, puis poursuivirent leur route au milieu de rochers pointus et d'arbres tordus. Alors, l'aspect du bois changea, et Ombrage et Regulus restèrent bouche bée.

Brugus s'arrêta et, avec un faible mais fier sourire, dit :

– Nous voici au Bois Bleu. Triste Refuge n'est plus très loin !

– Des arbres bleus ! s'exclama Regulus en écarquillant les yeux, fasciné par la beauté de ce qu'il découvrait. Ce sont vraiment des arbres bleus ! Je ne croyais pas que ça existait !

– Le chasseur en avait parlé… dit Ombrage, en observant les majestueux arbres aux troncs et aux feuilles bleus qui se détachaient sur le ciel du soir.

– Ce n'est pas la première fois que les Loups-Garous et les Chevaliers sans Cœur essaient de franchir la frontière du Bois Bleu. Mais ce n'est pas aussi facile qu'on pourrait le croire ; ne craignez rien et suivez-moi ! dit Brugus avec un éclair dans les yeux.

Il sortit une flèche de son carquois et la pointa vers le ciel.

Soudain, ils perçurent un bruit qu'ils avaient déjà entendu : un long sifflement, strident et pénétrant, qui s'éloignait sous les arbres bleus. Un autre lui répondit, et un autre encore, qui résonna comme un joyeux appel, de plus en plus lointain.

– Qu'est-ce que c'est ? demanda Ombrage.

– Des flèches sifflantes. C'est notre signal de reconnaissance ! répondit Brugus.

La stupeur des deux amis augmenta encore quand ils perçurent le grincement d'une poulie accrochée à la branche de l'un des troncs bleus. Une plate-forme descendit jusqu'à terre, et Brugus expliqua :

– Vous mettrez les pieds exactement là où je placerai les miens, et vous ne vous arrêterez pas en chemin !

Il s'approcha ensuite de l'arbre et attendit que Regulus et Ombrage l'aient rejoint. Il les fit monter sur la plate-forme puis s'installa à côté d'eux. La plate-forme les hissa dans les arbres, où ils

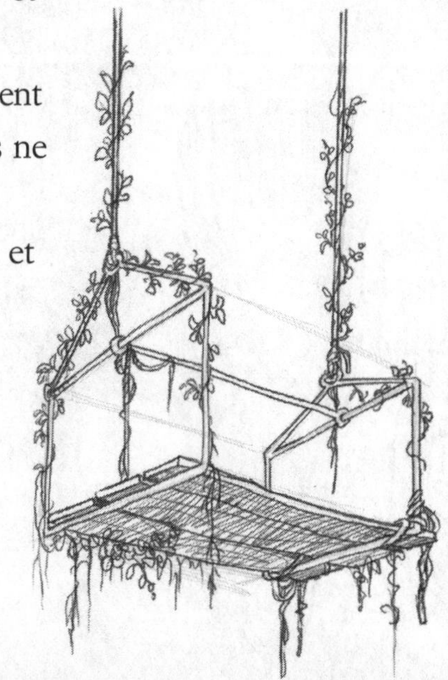

découvrirent un réseau de ponts de cordes qui reliaient les troncs dans toutes les directions.

– Et maintenant ? demanda Regulus.

– Même si quelqu'un arrivait jusqu'ici, il lui faudrait éviter bien des pièges avant d'atteindre Triste Refuge. Et, même s'il y parvenait, nous pourrions encore couper les ponts et les reconstruire rapidement.

– Bah, ça ne doit pas être si terrible de tomber de cette hauteur, observa Regulus d'un ton bravache.

– Tout n'est pas aussi simple qu'il y paraît… ajouta Brugus avec un sourire imperceptible et en s'engageant sur l'un des ponts suspendus.

Tandis qu'ils le suivaient, Ombrage crut distinguer entre les arbres des silhouettes bleuâtres aux contours vagues qui les regardaient passer avec curiosité.

– Et ça, c'est quoi ? fit Regulus, qui avait également remarqué ces hôtes indiscrets.

– Ce sont les Spectres du Bois Bleu, répondit Brugus sur un ton énigmatique.

– Des Spectres ? balbutia Regulus en s'immobilisant soudain, sans pouvoir détacher son regard de l'un de ces fantômes : le visage blafard et décharné s'inclina avec un rictus effrayant.

– En fait, ce ne sont pas vraiment des Spectres. Pas de panique… c'est simplement le nom que nous leur avons donné… Disons plutôt que ce sont nos gardiens !

– Vos gardiens ? répéta Ombrage en suivant l'Elfe sur un nouveau pont de cordes.

Brugus acquiesça et ajouta :

– Allez, dépêchez-vous, ou nous n'arriverons pas à temps.

– À temps pour quoi ?

– Trêve de questions… Nous y sommes presque !

Ils atteignirent enfin une plate-forme dissimulée parmi les feuilles, qui leur permit de redescendre à terre grâce à un système de poulies identique à celui qu'ils avaient utilisé pour la montée.

Jamais Ombrage n'avait éprouvé une telle fatigue : ses jambes flageolaient, son esprit flottait dans le vague.

– Nous voici à Triste Refuge ! s'exclama Brugus en désignant un petit groupe de cabanes en rondins tapissés de boue séchée et de branchages, et entourées de ronces.

– Par toutes les étoiles… Je rêve ou quoi ! dit Regulus en bâillant et en titubant comme s'il peinait à rester éveillé.

Ombrage le saisit par un bras et le secoua pour lui éclaircir les idées. La voix de Brugus lui parvenait de plus en plus voilée ; il prononça une phrase qui comportait le mot « Spectre », mais il fut incapable d'en comprendre davantage. Ces cabanes n'avaient rien d'accueillant et les silhouettes bleuâtres qui se faufilaient entre les arbres assaillaient son esprit. Il fit quelques pas en avant, mais, vaincu par l'épuisement, il s'effondra. Il entendit d'autres voix, sans distinguer ce qu'elles disaient.

Et puis il y eut des mains.

Des mains qui les palpaient.

Des mains qui les soulevaient.

Ombrage essaya de se débattre, de se rebeller. Il était évident qu'il venait de tomber dans un piège. Il avait été trop naïf. Il n'aurait pas dû s'en remettre à un inconnu, même si celui-ci prétendait avoir connu son père. Même si son instinct lui avait dit qu'il pouvait avoir confiance. Il voulut bouger, écarta une main, mais pour chaque main dont il se libérait, il en arrivait d'autres… C'était comme s'il était dans un cauchemar dont il était impossible de se réveiller.

17
CAUCHEMARS ET RÉSOLUTIONS

Quand Spica eut fini d'étendre le linge, elle prit son arc, ses flèches et la pomme que Stellarius lui avait laissée pour s'entraîner. Elle sortit de la maison sans être vue de Mérope, qui aurait sûrement essayé de la retenir. Elle courut à la rivière pour s'entraîner.

Plusieurs jours s'étaient écoulés depuis que Stellarius était parti et elle avait fait d'énormes progrès. Elle allait pouvoir défendre le monde qu'elle aimait, son père et Mérope, fût-ce au péril de sa vie, mais elle ne voulait rien leur dire pour ne pas les inquiéter. Ils ne s'étaient pas encore remis du brusque départ de Regulus et elle voulait éviter de se quereller avec Mérope, qui en tenait Ombrage pour responsable.

Son père leur avait tout raconté et Spica se disait que suivre et aider Stellarius était ce qu'elle avait de mieux à faire pour se rapprocher de son frère. De son frère et d'Ombrage, évidemment. Ne lui avait-il pas dit : « Prends soin de ce royaume » ?

Il se trouvait qu'elle était capable de voir les Crépusculaires : elle combattrait donc pour que, à leur retour, Regulus et Ombrage retrouvent le royaume des Étoiles qu'ils connaissaient, qu'ils aimaient.

Ainsi, peut-être, Ombrage déciderait-il de rester.

Spica banda son arc et décocha une nouvelle flèche : vingt-neuf fois sur trente, elle avait mis dans le mille.

Elle hocha la tête, satisfaite : il était l'heure de rentrer.

Stellarius avait promis qu'il reviendrait bientôt. Quelque chose lui disait que le danger se rapprochait : à l'horizon, l'obscurité fourmillait, et elle était la seule, avec

le mage bourru, à pouvoir tenter quelque chose pour arrêter cela…

Spica se réveilla en sursaut.

Elle entendit des cris, des bruits de lames qui s'entrechoquaient, des chevaux qui piaffaient, qui hennissaient… Elle sentit des mains qui l'attrapaient, qui la traînaient. Elle essaya désespérément de résister, mais une forme aux contours vagues, sinueux, se pencha sur elle, ouvrant une gueule aussi profonde qu'un gouffre noir… La jeune fille poussa un gémissement et s'assit dans son lit.

Les mains qui la plaquaient au sol s'effilochèrent, la gueule ouverte s'évanouit.

Elle cligna des paupières en haletant et regarda autour d'elle.

Sa chambre était toujours la même, l'obscurité de la nuit y enveloppait tout, tandis que la lueur argentée de la lune filtrait à travers les carreaux.

Ce n'était qu'un rêve. Rien qu'un rêve, se répétait-elle pour se tranquilliser.

Mais elle avait l'impression que c'était en fait plus qu'un rêve. Un pressentiment.

Comme elle secouait la tête pour disperser ces horribles images, elle remarqua une silhouette accrochée, la tête en bas, à l'une des branches de l'arbre, derrière la fenêtre. Elle eut l'impression que quatre méchants petits yeux rouges la fixaient et elle sentit que son cœur battait plus fort.

« Des Crépusculaires ! Ici ! » pensa-t-elle, terrorisée. Elle bondit hors de son lit et s'approcha de la fenêtre, mais, avant qu'elle n'ait déterminé ce qu'il convenait de faire, elle entendit un grincement plaintif et la forme s'envola dans un battement d'ailes.

La jeune fille étouffa un gémissement de colère, s'agenouilla près de son arc, compta les flèches dans son carquois et prit sa décision. Le temps pressait, cela ne faisait aucun doute.

Eh bien, elle allait attendre le retour de Stellarius pendant toute une journée encore. Rien qu'une journée. Puis elle partirait à la recherche du refuge des Crépusculaires.

18

L'OMBRE DU PASSÉ

Ombrage se réveilla en sursaut et s'assit d'un bond dans le lit de feuilles craquantes sur lequel il avait dormi. Il cligna des yeux dans l'obscurité, la respiration oppressée et les muscles tendus ; autour de lui, tout était silencieux. Dès qu'il fut habitué au noir, il parvint à distinguer la pièce dans laquelle il se trouvait.

Ce devait être une cabane.

Il réussit aussi à voir la silhouette de Regulus, allongée dans un coin et, petit à petit, il entendit des voix à l'extérieur. Il avait la tête qui bourdonnait. Il se mit lentement à genoux, se glissa près de son ami, constata avec soulagement qu'il était encore vivant, mais profondément endormi. Il s'assit en tailleur et essaya de mettre ses pensées en ordre.

Ainsi donc, ils étaient prisonniers.

Il avait l'impression d'avoir reçu un coup sur le crâne et, quand il voulut se lever, l'obscurité striée de lueurs oscilla violemment autour de lui. Le garçon s'appuya à la paroi de bois et, une fois son étourdissement passé, s'approcha de la porte. Derrière le panneau de bois dansait la lumière d'un foyer.

Ombrage n'avait pas la moindre idée de ce qui était arrivé.

Il chercha à tâtons une serrure sur la porte pleine d'échardes : il n'en trouva aucune, mais ne put se défaire de la sensation qu'il était bel et bien prisonnier.

Les voix, au-dehors de la cabane, semblèrent onduler un instant avant qu'il ne puisse distinguer ce qu'elles disaient.

– Tu devrais la comprendre au lieu de la blâmer, disait une voix ténue et légère comme du papier de riz.

L'autre voix grondait :

– Elle doit s'efforcer de distinguer la vérité du mensonge ! Un jour, elle aura de grandes responsabilités ! Elle doit s'habituer à tout cela !

– C'est vrai, reconnut la première voix, mais tu sais aussi que ce n'est pas facile pour elle.

– Personne n'a jamais dit que ce serait facile. Ce n'est facile pour aucun de nous. Mais comment peut-on prétendre s'occuper des autres si l'on ne sait même pas décider pour soi-même ?

– Elle apprendra. Elle est jeune, mais elle est têtue et orgueilleuse.

– Passer la nuit toute seule, loin de Triste Refuge… et sans Soufretin ! Mettre sa vie en péril…

Ombrage reconnut le timbre de voix de Brugus. Mais l'autre voix lui était inconnue.

– Robinia saura se débrouiller seule, répliqua la voix inconnue d'un ton résigné. Ce qui m'inquiète, c'est plutôt de songer qu'il est une partie de son cœur avec laquelle elle n'a pas réglé ses comptes !

Pour toute réponse, il n'y eut qu'un silence prolongé.

– Maintenant qu'il est de retour, il va falloir qu'elle le fasse.

– C'est plus simple à dire qu'à faire. Si ce que tu m'as raconté est vrai, si ce jeune Elfe est vraiment Audace, alors tout pourrait être beaucoup plus compliqué que tu ne le crois…

– Ce garçon est l'un des nôtres, Ulmus !

– Oui et non, mon vieil ami. Et tu le sais mieux que moi. Son père ne l'était pas et, après ce qu'il a fait, personne ici ne le considère plus vraiment comme un Forestier.

– Oui, tu as raison…

Il y eut un bref silence pensif.

– Juniperus avait raison quand il disait qu'un *frère* viendrait nous sauver… Il avait toujours raison… et il

avait également raison quand il disait que son père ne nous avait pas trahis, mais, pendant tout ce temps, personne ne l'a jamais cru ! s'emporta Brugus.

– Ce n'est pas tout à fait vrai. Je connais au moins deux personnes qui ont toujours cru à ses paroles, aussi énigmatiques qu'elles aient été. Toi et moi, mon ami. Nous n'avons jamais cru que les choses s'étaient passées comme on le racontait !

– Et nous en avons aujourd'hui la preuve !

Ombrage, lassé de déchiffrer ces énigmes, et s'étant aperçu qu'on lui avait confisqué sa besace, poussa légèrement le battant de la porte.

Il fit un pas en dehors de la cabane et sa voix brisa le silence qui s'était installé.

– La preuve de quoi ? demanda-t-il.

Brugus fixa les yeux sur lui, et l'autre silhouette, ronde et voûtée, se retourna. Des cheveux d'argent encadraient le visage d'une vieille Elfe à la voix de papier de riz.

– Tu es donc enfin réveillé, remarqua-t-elle avec un sourire énigmatique.

– Que s'est-il passé ? Pourquoi Regulus dort-il encore ?

– Ce sont les Spectres Bleus, dit Brugus.

– Qui sont-ils ? demanda le garçon.

– Des créatures terriblement sournoises. Elles infestent le Bois Bleu depuis que le monde est monde. C'est pourquoi nous nous cachons derrière cette barrière naturelle… Les Sorcières et les Loups-Garous eux-mêmes seraient incapables de la franchir sans courir un immense danger. Les Spectres nous ont offert un refuge et une protection… Mon nom est Ulmus, jeune homme. Approche et assieds-toi près du feu.

Ombrage s'assit. Brugus fit de même et détourna les yeux en soupirant.

– Les Spectres exhalent de puissantes vapeurs soporifiques. Il y a très longtemps, ils ont colonisé cette partie de la forêt et l'ont transformée en ce Bois Bleu, où flottent les vapeurs soporifiques. Les voyageurs qui le traversent sans connaître la route s'égarent et s'écroulent à terre, en proie à un invincible sommeil. Alors, les Spectres se précipitent sur ces imprudents et les dévorent sans pitié !

Ombrage regarda Brugus, inquiet. Ulmus sembla lire dans son esprit et eut un sourire indéchiffrable.

– Oui. Tu as deviné. C'est pour se protéger des vapeurs que tous ceux qui franchissent ce labyrinthe entre les arbres portent de hauts cols ou des écharpes. Nombre des nôtres, dans le passé, sont morts en essayant de traverser le Bois Bleu. Heureusement, leur sacrifice n'a pas été inutile. Et maintenant, dis-moi, comment te sens-tu ?

– J'ai l'esprit un peu confus, mais je vais bien. Vous parliez de mon père, tout à l'heure, n'est-ce pas ?

– Ta voix ressemble à la sienne comme deux gouttes d'eau. Et ton aspect aussi, si j'en crois ce que m'a dit Brugus. Mais tes cheveux sont ceux de ta mère Acacia, repartit Ulmus en souriant.

Comme le garçon gardait le silence, elle ajouta :

– À dire vrai, nous avons parlé de bien des choses, mais toutes sont liées.

– Liées à quoi ? intervint la voix de Regulus. Puis il s'interrompit : Excusez-moi… je ne voulais pas vous déranger…

– Tu ne nous déranges pas. Viens t'asseoir, jeune Étoilé. Ainsi donc, demandes-tu, à quoi sont-elles liées ? À la chute du royaume, aux Loups-Garous qui ont envahi nos terres et à l'ombre de la Reine Noire qui s'étend de plus en plus sur les royaumes environnants ! dit tristement Ulmus.

Elle crispa les poings et reprit à l'intention d'Ombrage :

– Ton père commandait la Ronde. Il était fort… mais ce n'est pas pour cela qu'il était commandant. Il était juste, attentif… il était l'âme de la Ronde et il ne tolérait pas les injustices. Il en était ainsi depuis le jour de son arrivée et c'est pourquoi le roi de l'époque, Cyprès, l'avait nommé commandant. Tout le monde l'admirait, tout le monde l'aimait et tout le monde s'était réjoui de son mariage avec celle qui allait devenir ta mère, Acacia : il avait en effet décidé de prendre racine au royaume des Forêts. Déjà, alors, les temps commençaient à changer, les frontières orientales étaient de moins en moins sûres. Quand le Roi Cyprès mourut, son fils Pyraster était encore jeune et tout le monde demanda à ton père de quitter les frontières où il patrouillait avec ses Chevaliers de la Ronde pour devenir Garde Royal. Ta mère était morte depuis peu et il accepta, pour ton bien et pour celui de tous. C'est à cette époque que je l'ai connu. C'était déjà le début de la fin.

» Nous fûmes peu à peu cernés par l'obscurité sans même nous en apercevoir. Nous étions trop absorbés par nos activités quotidiennes pour prêter attention à des détails. Pourtant, je suis sûre que Cœurtenace avait découvert quelque chose. Il y fit allusion, devant moi et peut-être devant d'autres, mais j'étais alors un peu sotte, naïve, je me moquais de lui : il s'inquiétait trop, il avait l'habitude des périlleuses régions frontalières, ici, il n'y avait pas de danger. Hélas, j'aurais dû l'écouter…

– Tu vivais à la cour ? demanda Ombrage.

– J'étais Maîtresse de Serre, oui. Et Juniperus était le précepteur du jeune Roi Pyraster. Bref, aucun de nous ne voulut l'écouter. Si nous avions été plus attentifs, les Sorcières n'auraient jamais pu renverser le trône. Mais ton père lui-même n'imaginait pas ce qui se préparait : une trahison qui allait nous apporter la mort et la désolation !

– Bien des gens prétendent que ce traître était ton père… dit Brugus d'un ton lugubre.

– Robinia… observa Ombrage.

Regulus ajouta :

– Bien des gens, mais pas tous…

Un sourire énigmatique éclaira le visage d'Ulmus.

– C'est vrai. Ce que tu as dit est fort juste, jeune Étoilé. Hélas, Juniperus, Brugus et moi-même étions les seuls à penser que Cœurtenace n'était pas coupable. Le fait est qu'aucun de nous n'a jamais pu le prouver avec certitude, car nous ignorions ce qui se passait au juste à la Cour en ce temps-là. Le jeune Roi Pyraster ne se confiait à personne et, quoi que Cœurtenace ait pu découvrir, il l'a gardé pour lui, persuadé qu'il parviendrait à tout arranger sans l'aide de personne. Tout ce que l'on sait sur cette époque est assez confus, mais je vais te dire ce que Brugus et moi-même avons pu reconstituer d'après certaines déclarations mystérieuses de Juniperus. Juniperus avait assisté à une altercation entre ton père et le jeune Roi Pyraster, à la suite de laquelle Cœurtenace disparut. Pyraster annonça alors que le royaume était sur le point d'être envahi par l'Armée Obscure. Il accusa ton père d'être devenu un Loup-Garou et d'avoir comploté avec la Reine Noire pour nous réduire en esclavage, en se servant de son fidèle Dragon, Fulminant. Aussi Pyraster rassembla-t-il toutes les troupes du royaume pour s'élancer à la poursuite du traître. Ils rattrapèrent ton père au Portail : il était accompagné de Juniperus et de nombreux enfants de l'École Royale, parmi lesquels tu figurais. C'est là que se déroula une bataille très violente, à la suite de laquelle le Portail fut scellé. Les troupes de Pyraster furent exterminées. Soudain, d'autres Loups-Garous sortirent de la forêt et fondirent sur nous.

» Pyraster livra un combat sans merci contre ton père, qui chevauchait le Dragon Fulminant et qui t'avait pris en croupe. On raconte que ton père est mort transpercé par l'épée du jeune roi tandis qu'il essayait de te défendre.

Fulminant et Pyraster disparurent de l'autre côté du Portail qui menait au royaume des Elfes Étoilés, et l'invasion des Loups-Garous commença. Les quelques Elfes restés fidèles à la Ronde durent repousser les innombrables attaques de la Reine Noire, les invincibles Chevaliers sans Cœur envahirent la Cité Grise et les forêts… et notre royaume tomba aux mains du Pouvoir Obscur. Seules quelques personnes eurent la vie sauve, mais la plupart moururent ou furent réduites en esclavage… C'est alors que je perdis la vue, conclut tristement Ulmus.

– Et c'est Cœurtenace qu'on accusa d'être un traître… poursuivit Brugus. Mais nous avons maintenant la certitude que ce n'est pas lui qui a trahi !

– Comment pouvez-vous en être certain ? insista Ombrage.

Il sentait son cœur battre dans sa poitrine comme un marteau sur une enclume.

Brugus sortit de sa besace la boucle à demi fondue qu'Eridanus avait trouvée à côté des squelettes, près du Portail.

– Cette boucle appartenait au roi. Elle appartenait à Pyraster !

– Quoi ? s'écrièrent en chœur Ombrage et Regulus, ahuris.

– Les insignes royaux y sont gravés : une feuille de hêtre ornée d'un diamant. Pyraster l'avait fait forger par les meilleurs artisans du royaume.

– Ainsi, cette boucle serait celle de votre roi ? Mais on l'a retrouvée sur… ajouta Regulus avec embarras.

– Un Loup-Garou, oui. Toi-même, jeune homme, tu nous as raconté qu'on l'avait trouvée près des squelettes d'un Dragon, Fulminant, et d'un Loup-Garou… Évidemment, c'était Pyraster ! Le roi accusait ton père, mais c'était lui-même qui avait comploté : il s'était allié avec les Sorcières et était devenu un Loup-Garou… soupira Ulmus.

– Cela explique le trouble de Cœurtenace quand il essaya de me parler… Il avait dû découvrir la vérité !

– Oui. Et cela explique aussi le désarroi de Juniperus, intervint Brugus. Il a raconté qu'il t'avait vu disparaître au-delà du Portail et il a toujours répété que le roi avait attaqué Fulminant. Moi-même, un peu plus tard, je trouvai Juniperus qui fuyait dans la forêt avec les enfants de l'École Royale. Il était désespéré et me dit que c'était Cœurtenace qui les avait sauvés, après quoi il lui était arrivé quelque chose de grave. Mais, depuis lors, Juniperus ne fut plus en mesure de parler, si ce n'est par énigmes… En outre, il était gravement blessé et ses blessures l'ont lentement mené à la mort.

– Nous pensons que le jeune Roi Pyraster a vendu son peuple et son royaume… peut-être par manque de courage, peut-être par cupidité. Il a dû céder aux flatteries de la Reine Noire et est devenu l'un de ses Loups-Garous, prompt à exécuter des ordres cruels. Il aurait dû savoir que la Reine Noire n'a pas véritablement d'alliés, elle n'a que des esclaves ! dit Ulmus d'un air pensif. Mais peut-être personne n'est-il capable d'admettre une telle vérité, pas même aujourd'hui, après tant d'années. Et Robinia moins que personne.

– Pourquoi est-elle aussi remontée ? demanda Regulus avec une grimace.

Ulmus fixa ses yeux embrumés sur le feu et poussa un soupir.

– Parce que Robinia est la sœur cadette de Pyraster… et la légitime héritière du trône du royaume des Forêts.

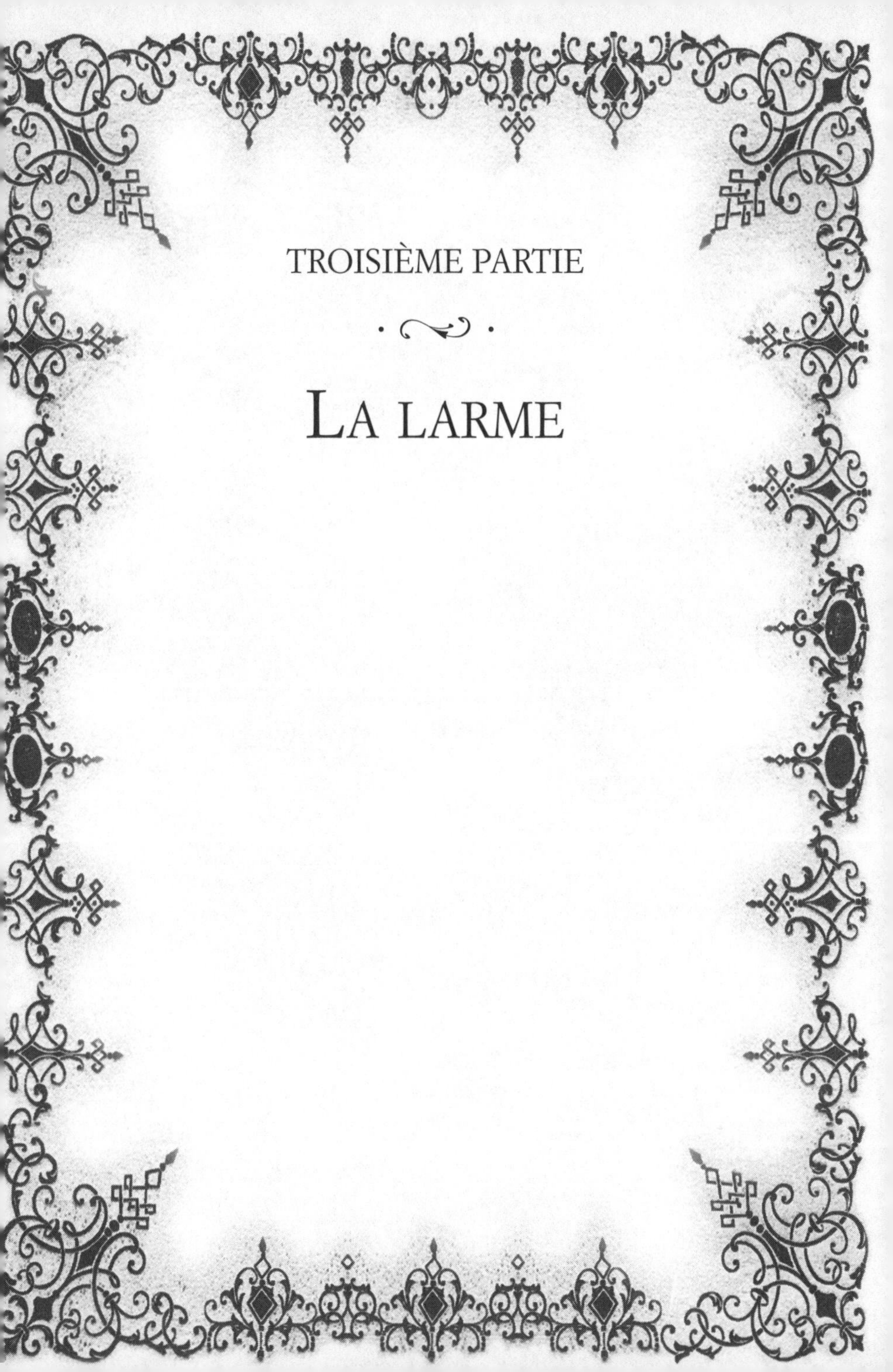

TROISIÈME PARTIE

La larme

19
IMPOSSIBLE !

Les paroles d'Ulmus restèrent suspendues en l'air pendant un long moment.

– Pourquoi ne lui avez-vous jamais dit la vérité ? demanda Ombrage.

– La vérité… c'est un mot immense, mon garçon ! soupira Brugus avec amertume.

– Pour certains, c'est un mot dérangeant ! Parfois, il est plus facile de s'enfermer dans ses propres mensonges que d'affronter la réalité… ajouta Ulmus avec résignation. De toute façon, nous n'avons jamais pu recueillir assez d'éléments pour prouver que nous avions raison. Juniperus était notre seul témoin, mais, après que les Loups-Garous se furent emparés du trône, après que la Ronde et les Gardes Royaux eurent été atrocement défaits, il commença à changer. Certes, il était le seul à évoquer la possibilité de sauver notre royaume, à parler d'espoir… mais personne ne l'a jamais pris au sérieux.

– Tous les Elfes en état de combattre avaient été tués ou emprisonnés… et, d'après ce que nous savons, la prison est pire que la mort, raconta Ulmus.

– Mais ce camp… intervint Regulus.

– Ici se sont regroupés tous ceux qui ont échappé aux massacres : les vieillards et ceux qui, à l'époque, étaient encore des enfants. Et qui, aujourd'hui, ne sont pas plus que des jeunes gens… Nous devons les protéger et non les envoyer au combat, murmura Ulmus.

– Tu as parlé d'énigmes que Juniperus aurait laissées… intervint alors Ombrage.

La vieille Forestière acquiesça.

– Je les ai étudiées pendant des années. Je crois que Juniperus était victime d'un enchantement qui l'obligeait à parler par énigmes. J'ai réussi à en éclaircir certaines, et même beaucoup. À travers elles, Juniperus communiquait ce qu'il savait et ce qu'il avait vu, même si nous ne l'avons pas compris tout de suite. Et puis, à l'époque, il y avait tant à faire… Mais voyons… sauriez-vous me dire à quoi il faisait allusion lorsqu'il parlait de *ce qui sera en suspens tant qu'il ne tombera pas*.

– Facile ! s'exclama Regulus en souriant. C'est le doute !

Il y eut un instant de silence étonné, puis Ulmus acquiesça.

– C’est bien cela, oui. Et qui est *l’horrible monstre qui, plus il engloutit, plus il grandit, moins il se voit ?*

Ombrage répondit tranquillement :

– C’est le noir, l’obscurité… Que peuvent bien révéler de simples devinettes de ce genre ?

– Les devinettes que vous avez si facilement résolues sont consignées dans le journal de Juniperus, où il raconte les événements qui ont précédé l’effondrement du royaume. Tout le texte est rédigé sous forme d’énigmes. C’est à vous, je crois, qu’il fait allusion, lorsqu’il parle de *deux étoiles* qui viendraient *ramener la lumière sous l’enchevêtrement des feuilles*…

– Par ces « deux étoiles », il voulait peut-être désigner deux Étoilés… marmonna Brugus dans un soupir dubitatif.

Ulmus acquiesça.

– Quand les *étoiles* arriveraient, les *doutes* qui nous tenaient en servitude s'effondreraient et l'horrible *obscurité* qui tout enveloppait se dissiperait… Oui. Telle était mon interprétation, et elle me paraît aujourd'hui plus claire que jamais !

– Voulez-vous dire que vous *nous* attendiez ? demanda Regulus, incrédule.

– Ce n'est pas possible ! Comment Juniperus pouvait-il savoir que nous viendrions un jour ? ajouta Ombrage.

– Il avait dû surprendre les discours d'une Sorcière, voire de la Reine Noire elle-même… Mais cela n'a pas grande importance. Nous devons à présent découvrir ce qu'il entendait nous révéler avec sa « Grande Énigme ». La dernière, en vérité. Celle qu'il a voulu faire graver sur sa tombe… Je vais vous la répéter. Je n'en ai jamais compris la signification, mais peut-être saurez-vous deviner ce qu'elle cache.

Un peu plus tard, sur la tombe de Juniperus, Ombrage examina l'inscription gravée dans le bois fissuré d'un vieil arbre, tout en écoutant la voix tremblante d'Ulmus qui récitait par cœur ce que le vieil Elfe avait dicté :

Quand l'heure du défi sonnera
toUt cela plus ne servira :
toits de bois vermoulUs,
barrières de pierre Nue,
flèchEs qui voLeront :
morts ni vivAnts ne sauront
chasseR le Mal des environs.

nous devrons rester aux aguEts ;
mais attention ! tant que la fée
Pourra verser larme d'argent
sur l'aveugle fOlie d'avant,
sur les arbres très hauts seigneUrs,
l'espoiR attendra son heure,
car de loin viendra Le sauveur.

seulemEnt pour un cœur très bon,
le poison seRa guérison,
et la mort vie redeviendrA ;
il remportera le Combat,
tristesse en joie se muera.
mais la cHasse continuera
tant que lA sorcière vivra !
seuls peuvenT l'arc, l'oie, le dragon, l'épée,
de la horde nous débarrasser.

Regulus plissa le front :

– Ça, c'est une devinette royale, ou je ne m'y connais pas ! Elle est un peu plus compliquée que les autres…

Ulmus et Brugus échangèrent un regard, mais Ombrage garda le silence, réfléchissant à ce qu'il venait de lire.

– Ce n'est peut-être pas une devinette – en tout cas pas au sens littéral du mot. Des toits vermoulus… des pierres, des flèches… morts ni vivants. Brugus, n'y a-t-il pas des Spectres dans le Bois Bleu ?

– Oui, c'est ainsi qu'on les appelle…

– Les mots *morts ni vivants* pourraient donc se rapporter à eux.

– En effet. C'est ce que pense Ulmus depuis quelque temps… Nous ne sommes pas non plus en sécurité ici… remarqua Brugus.

– Mais *de loin viendra le sauveur…* ajouta la vieille Elfe.

Ses yeux embrumés se tournèrent vers Ombrage. Le garçon retint son souffle, et elle ajouta :

– Le plus énigmatique sont ces vers : *tant que la Fée pourra verser larme d'argent sur l'aveugle folie d'avant, sur les arbres très hauts seigneurs…* Je n'ai pas la moindre idée de leur signification. Pas plus que : *le poison sera guérison, et la mort vie redeviendra ; tristesse en joie se muera.*

– Peut-être y a-t-il là une allusion à la Fée que la Reine

Floridiana avait envoyée pour vous défendre. C'est peut-être elle que nous devrions chercher, il se pourrait qu'elle sache comment chasser les Sorcières. Peut-être une de ses larmes… proposa Regulus.

– Tu veux dire la Fée Psaltérine ? Oui, nous y avons pensé, nous aussi, acquiesça Brugus.

– Mais voilà bien longtemps que nous n'avons pas eu de ses nouvelles, ajouta Ulmus. Aussi désagréable que soit cette idée, il nous faut envisager la possibilité qu'elle ait été vaincue par la Reine Noire.

– Peut-être l'énigme explique-t-elle où elle se trouve, suggéra Ombrage.

– Vraiment ? Je ne vois là-dedans aucune indication ! soupira Brugus en observant l'inscription.

Ombrage secoua la tête, encore absorbé dans ses pensées, avant de reprendre la parole :

– Sur la carte que nous avons découverte dans les ruines de la vieille prison, nous avons vu, à l'ouest, une montagne nommée Pic Argenté. Une *larme d'argent…* Se pourrait-il que la phrase de Juniperus y fasse allusion ?

Ces mots furent suivis d'un long silence.

– Comment avons-nous pu ne pas le comprendre ? dit enfin Ulmus.

Brugus secoua la tête.

– Ne pas comprendre *quoi* ?

– La rivière… Tu te souviens que la rivière prenait sa source au Pic Argenté ?

– Quel est le rapport avec la Rivesèche ?

– Nous l'appelons maintenant Rivesèche… mais son ancien nom n'était-il pas la Rivière Fée ?

– Oui, c'est vrai… Et alors ? La devinette de Juniperus indique seulement que, tant que la Fée versera des larmes, c'est-à-dire tant qu'elle continuera à cracher de l'eau, il restera un peu d'espoir. Or la rivière est à sec depuis longtemps…

– Peut-être que oui… peut-être que non, Brugus ! déclara Ulmus en se rapprochant encore de la tombe.

– Que veux-tu dire ?

– J'oubliais… regardez… murmura la vieille Forestière. Il y a certaines lettres qui… sont gravées plus profondément, qui sont plus grandes et plus larges… Vous ne voyez pas ? Non ? Quand j'avais le don de la vue, je ne m'en étais pas aperçue. C'est seulement en passant mes vieux doigts sur la gravure, depuis que la vue a commencé à m'abandonner, que j'ai senti que certaines lettres étaient différentes. Mets ces lettres, rien qu'elles, les unes derrières les autres, mon garçon, et dis-moi ce que tu lis !

Ombrage retint son souffle pendant un long moment, glissa son doigt sur l'inscription et, soudain, comprit.

– Ça forme… des mots ! *Qu'une larme pour le rachat…* Encore une devinette. Qu'est-ce que ça peut bien vouloir dire ?

– Nous devons nous repentir si nous voulons être libérés ? suggéra Brugus.

– Oh, sûrement, ce sont des larmes de repentir, acquiesça Ulmus. Nous avons été négligents quand les Sorcières ont conquis notre royaume. Nous ne nous sommes pas aperçus que l'âme de notre bien-aimé Roi Pyraster avait été définitivement corrompue.

– Il n'est pas coupable !

La voix de Robinia, dans leur dos, les interrompit tel un rugissement.

Son visage se détacha sur l'obscurité, comme sculpté par les reflets rougeâtres de la torche de Brugus.

– Mon frère n'aurait jamais fait de mal à personne !

Tout le monde retint son souffle et Ulmus poussa un soupir de tristesse.

– Ton frère s'est allié avec les Sorcières.

Un silence accablant s'éternisa.

– Ce n'est pas vrai ! Je sais que ce n'est pas vrai ! Si les deux étrangers l'affirment, c'est pour vous abuser, pour vous tendre un piège ! Et vous vous précipitez tête la première dans leurs mensonges !

– Robinia, mon enfant ! Combien d'Elfes innocents sont morts pour avoir fermé les yeux devant la vérité ? Nous ne pouvons plus nous permettre de continuer ! Nous avons des preuves, désormais... Cœurtenace n'a trahi personne. C'est Pyraster qui a renié son peuple ! déclara Brugus avec douleur.

La jeune fille frémit, comme si elle avait reçu un coup de poing dans l'estomac. Ses yeux flamboyèrent et se fixèrent sur Ombrage.

– Il était né pour gouverner notre royaume ! Il aimait son peuple. Il n'aurait jamais fait de mal à personne ! C'est vous, les traîtres ! cria-t-elle, le visage écarlate.

Mais sa voix chancela et s'éteignit, interrompue par un

long sifflement tremblant. Un autre suivit, un autre encore… de plus en plus rapproché.

C'est alors qu'une flèche se ficha dans un tronc juste à côté d'eux : on entendit des cris, accompagnés d'un son métallique, semblable au tintement d'une cloche.

– Que se passe-t-il ? demanda Regulus en se retournant brusquement.

– Le signal ! Nous y voici… souffla Brugus en le regardant.

– Oui. Nous y voici. C'est eux qui les ont amenés ici ! s'écria Robinia, et ses yeux lançaient des éclairs de peur et de colère.

– Ça suffit, maintenant ! Cesse de t'en prendre à nous ! Qui sommes-nous censés avoir amené ici ? protesta Regulus.

– Les Chevaliers sans Cœur, soupira Ulmus en prenant appui, d'une main tremblante, sur le rebord de la tombe.

– J'avais raison ! Ils vous ont suivis ! Vous êtes des traîtres ! gronda Robinia.

Elle brandit le poignard qu'elle portait à la ceinture et se rua sur Ombrage.

20
Le véritable ennemi

– Non ! hurla Brugus en se jetant sur Robinia.

Tel un bref éclair, le poignard s'abattit, déchirant l'étoffe, s'enfonçant dans la chair. Tout avait duré moins d'une seconde : Robinia fit un pas en arrière, hagarde ; elle lâcha le poignard, regarda sa main couverte du sang de Brugus.

L'Elfe barbu ne poussa pas un cri.

– Qu'est-ce que j'ai fait… murmura la jeune fille.

– Ce n'est rien, dit Brugus, grimaçant de douleur tandis qu'il arrachait le poignard de son avant-bras.

Heureusement, ce n'était qu'une blessure superficielle.

– Je ne… balbutia la jeune fille.

Puis son visage se durcit tandis qu'elle ravalait ses larmes.

– C'est votre faute ! Je… gronda-t-elle contre Ombrage.

Avant que le garçon ait pu répondre, Brugus intervint.

– Ça suffit, Robinia !

Sa voix, calme et dure, parvint à faire taire la jeune fille. Robinia serra les dents et baissa les yeux.

– Rappelle-toi ce que je t'ai enseigné, jeune fille ! C'est maintenant que cela doit te servir, en ces heures de malheur. Rappelle-toi *qui est le véritable ennemi !*

Robinia leva brusquement les yeux sur lui.

– Partez tout de suite… Accompagne-les à la Fosse, ordonna-t-il. Tu connais la route.

– Mais il faut soigner ta blessure… objecta-t-elle.

– Ce n'est qu'une égratignure, pas de quoi s'inquiéter. À présent, partez vite !

Robinia balbutia à nouveau et Brugus hurla :

– Vite !

– Allons-y, murmura Ulmus, en s'agrippant au bras d'Ombrage.

– Mais je… dois l'aider !

– As-tu entendu ce qu'il t'a demandé ? Pour une fois, ne discute pas ! s'impatienta Regulus.

La jeune fille le regarda comme si elle entendait sa voix pour la première fois. Elle parut ébranlée par ses paroles et par l'intense lumière de l'étoile qui brillait sur le front du jeune Elfe. Elle serra les lèvres et obéit.

Brugus courut vers la cabane, le cœur frémissant. Depuis longtemps, il redoutait qu'une telle chose se produise : pourtant, à présent, tout lui semblait irréel. Il avait vécu dans ce refuge depuis l'invasion du royaume, il avait marché au milieu de ces cabanes, entraîné les jeunes au combat sur la grande esplanade : cet endroit était devenu sa maison. Un lieu où il s'était senti en sécurité. Mais, désormais, il était vain de songer à tout cela. Il n'y avait plus qu'une chose à faire : mettre en œuvre le plan de défense qui avait été élaboré bien des années plus tôt. Et qui, jusqu'à présent, n'avait pas été utilisé.

Tandis que la cloche sonnait à toute volée, il sortit son

épée du fourreau et se dirigea vers le bois qui bordait le vieux cimetière. Au fil des années, Brugus avait tendu de nombreux pièges autour de Triste Refuge : il se rendit compte avec effroi que nombre d'entre eux avaient été désarmés. Ainsi donc, Robinia avait raison, ils avaient été trahis ! Mais ce n'était sûrement pas par les deux garçons... Il ne les avait pas quittés des yeux depuis leur arrivée. Non, impossible. Ce devait être quelqu'un d'autre. Quelqu'un en qui ils avaient une entière confiance... Ou quelqu'un dont ils considéraient la fidélité comme allant de soi. Une lueur bleutée le fit s'immobiliser, au moment où des cris et des appels désespérés retentissaient du côté des cabanes.

Les Spectres.

Et si c'étaient les Spectres...

À un cri plus proche et plus aigu, il se retourna brusquement et repartit en courant, chassant toutes ses pensées. Les jeunes étaient seuls, là-bas. Il leur avait certes fait suivre un entraînement intensif, méthodique, mais ils n'avaient jamais combattu pour de vrai.

Il avisa un petit groupe d'Elfes des Forêts derrière la cabane d'Ulmus et les rejoignit rapidement.

– Combien sont-ils ?

– Très nombreux, dit un Elfe. Trop nombreux... ajouta-t-il d'une voix étranglée.

D'autres voix vinrent se mêler aux leurs.

– Il y a une foule de Loups-Garous sanglés dans leurs uniformes rouge sang, mais ils ont aussi envoyé quatre Chevaliers sans Cœur...

– Ils sont venus de la forêt...

– Sans crier gare...

– Quand le vieux Noyer a sonné la cloche, il était déjà trop tard ! Ils l'ont tué au moment où il donnait l'alarme...

Brugus s'emporta :

– Nous avons été trahis par les Spectres. Ils ont désarmé des pièges.

– Qu'est-ce que c'est que cette odeur ? s'inquiéta soudain l'un des plus jeunes soldats.

Dans le silence qui suivit, on entendit les cris et les aboiements des Loups-Garous, de plus en plus proches.

Brugus gémit :

– Le feu. Ils ont mis le feu pour les obliger à descendre des toits...

Il se faufila derrière les cabanes, faisant en sorte de ne pas être vu.

– Où vas-tu ? demanda le jeune Carpinus.

– Je vais chercher les autres ! Je ne laisserai personne en arrière ! répondit Brugus, qui s'éloigna d'un pas rapide.

Le feu renversa les cabanes de bois sec comme une main avide et impétueuse. Leurs occupants n'eurent que le temps de fuir, les Loups-Garous étaient partout et les Chevaliers sans Cœur, immenses et menaçants, se détachaient sur le groupe comme des épis dans un champ moissonné.

Un Loup-Garou sauta à la gorge d'un des plus jeunes enfants, et l'abattit comme un lièvre.

Alors, Brugus s'élança en criant :

– Mort aux Loups-Garous !

Une nuée de flèches sillonna le ciel. Les épées, déjà rouges de sang, entrechoquèrent les lances, qui se brisèrent ; d'autres épées répondirent dans un fracas assourdissant et les armes des Elfes s'abattirent sur leurs ennemis. Il y eut d'autres cris, d'autres coups et d'autres morts... Au milieu du chaos, Brugus lutta comme un lion, faisant le vide autour de lui avec son épée. Les Loups-Garous n'arrivaient pas à lui tenir tête, et sa résistance héroïque attira bientôt l'attention de l'un des Chevaliers sans Cœur, qui fondit sur lui.

Brugus transperça un Loup-Garou, pivota sur lui-même et se retrouva face au Chevalier, le plus terrible des ennemis. Il sentit son cœur frémir d'orgueil et de désespoir.

Si c'était sa dernière bataille, il voulait la livrer avec panache. Brugus se jeta à terre et frappa le Chevalier aux jambières, tentant de le déséquilibrer. Malgré la violence du choc, le Chevalier sans Cœur vacilla à peine : il dégaina son noir cimeterre dont la lame fendit l'air.

C'est à peine si Brugus s'en rendit compte. Il avait été blessé. Ignorant la douleur, il recula d'un pas et essaya de frapper son adversaire au flanc. Mais son épée se brisa contre l'armure, déchirant simplement l'étoffe du manteau.

Le Chevalier ricana et, d'un rapide mouvement du poignet, fit tournoyer son épée et assena un coup de haut en bas. Brugus parvint à le parer, mais, au moment même où les deux lames se heurtaient, son épée gémit et fut

coupée net. Par contrecoup, Brugus alla rouler à terre. Le Chevalier sans Cœur fit un pas en avant et appuya la pointe de sa lame sur la gorge de l'Elfe.

– Votre sang ne nous intéresse pas, stupides Elfes. Nous avons des ordres bien précis, dit-il d'une voix sombre. Nous vous voulons vivants !

Pendant un instant, Brugus ne comprit pas.

Le Chevalier cria aux autres :

– Ratissez la forêt, qu'on les déniche tous !

Brugus serra les dents. Puis le cimeterre s'éloigna de son cou. Un Spectre Bleu vola au-dessus de lui en hurlant. Alors, Brugus sombra dans un noir cauchemar de sang et de mort.

21
SPICA

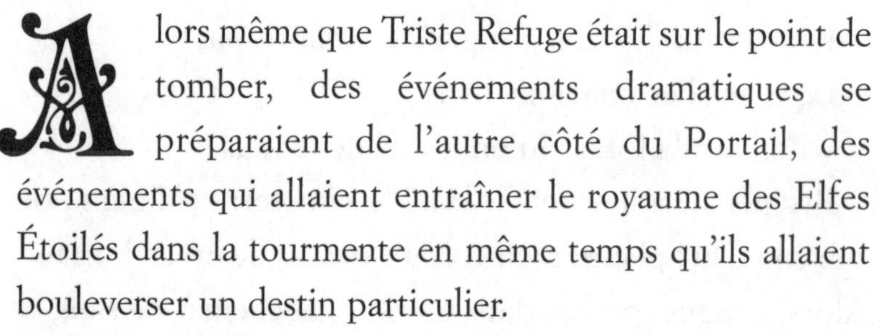

Alors même que Triste Refuge était sur le point de tomber, des événements dramatiques se préparaient de l'autre côté du Portail, des événements qui allaient entraîner le royaume des Elfes Étoilés dans la tourmente en même temps qu'ils allaient bouleverser un destin particulier.

Spica encocha une nouvelle flèche et laissa son regard s'attarder sur la forêt. Les mouvements de la pomme magique de Stellarius étaient imprévisibles, mais quelque chose lui dit qu'elle allait faire un bond vers le haut. Elle focalisa son regard sur le fruit magique et, d'un coup, relâcha la corde de l'arc. La flèche partit, vrilla l'air et frappa la cible.

La pomme retomba dans l'herbe en roulant. Cette fois encore, la jeune fille avait fait mouche !

Enorgueillie de son succès, Spica abaissa son arc.

Elle avait pris le temps d'apprendre à viser avec plus de précision et de s'entraîner au combat. Mais, désormais, elle était prête. Et elle ne pouvait plus attendre.

Elle avait remarqué la frêle silhouette amarante peu après son arrivée dans la clairière. Le Crépusculaire était suspendu, la tête en bas, à une branche d'un très vieil érable, sur l'autre rive de la rivière. L'énorme chauve-souris l'avait épiée, et elle s'était laissé observer avec une patience extrême, sans presque éprouver de peur.

À présent, elle sentait que le moment était venu de changer de cible. Calmement, elle prit une nouvelle flèche, feignit de viser la pomme magique, puis se retourna brusquement et, encore une fois, devint l'arc et la flèche en même temps.

Ses yeux bleus scintillèrent d'une lueur décidée, la corde claqua avec un son sinistre, l'arc gémit et décocha sa flèche, qui fila, plus rapide qu'un faucon.

Le Crépusculaire bougea, ouvrit les ailes en poussant un cri sourd et prit son envol, mais rien ne pouvait empêcher la flèche de l'atteindre. Avec un faible battement d'ailes, la petite forme rouge amarante tomba à terre.

Spica se mit à courir et traversa la rivière en sautant sur les cailloux. Sur l'autre rive, elle s'arrêta et regarda autour d'elle, haletant.

Elle repéra les plumes jaunes des ailerons de sa flèche et s'approcha lentement. Son cœur battait follement et un frisson parcourut son dos. La flèche était plantée dans le tronc d'un érable grisâtre, mais, du Crépusculaire, il ne restait qu'une tache rouge sombre. La jeune fille allait arracher la flèche du tronc quand un bruit étrange la fit se retourner.

Quelque chose bougeait dans la végétation, une créature bien plus grande que celle qu'elle avait frappée ; elle venait de la vieille route qui longe la rivière. Le cœur battant, Spica prit la flèche et l'encocha de nouveau, la pointant en direction du bruit suspect.

Les branches frissonnèrent et un braiment la fit sursauter, tandis qu'un petit âne blanc sortait de la végétation. Spica abaissa son arc et se félicita de ne pas avoir décoché sa flèche. Elle la remit dans son carquois et s'approcha avec précaution de l'animal en tendant la main.

Elle connaissait cet âne. Il s'appelait Filou, c'était la bête de somme du vieux Cygne, un des marchands de casseroles qui sillonnaient le royaume. En découvrant Spica, Filou fit entendre un nouveau braiment désespéré. Il traînait la charrette brinquebalante de son patron.

L'âne la laissa approcher sans ruer et la jeune fille put examiner la charrette. Elle avait perdu une roue et la moitié de sa marchandise.

– Que s'est-il passé, Filou ? demanda la jeune fille, flattant de la main les longues oreilles de l'âne. Où est ton maître ?

Filou poussa un nouveau braiment : Spica le détacha de la charrette et suivit ses empreintes. Elle avait un sinistre pressentiment, et elle hâta le pas, finissant par courir.

Soudain, elle s'arrêta. Horrifiée, elle découvrit des vêtements lacérés comme par mille petites griffes. Ces habits recouvraient de pauvres ossements. C'était le vieux Cygne qu'elle venait de trouver. Ou du moins ce qu'il en restait.

Une tache rouge sombre à proximité lui fit comprendre qui avait tué l'Elfe : les Crépusculaires.

Filou, derrière elle, poussa un braiment désespéré et se retourna, comme s'il ne voulait pas voir le misérable corps de son pauvre maître.

Refoulant au fond de sa gorge l'envie de hurler, Spica posa une main sur sa poitrine et, au bord des larmes, murmura :

– Je suis désolée, vieux grognon. Mais je te promets que je ferai tout pour que personne d'autre ne connaisse le sort du cher Cygne…

« C'est cette nuit, pensa-t-elle ensuite, le cœur en tumulte, c'est cette nuit que je commence. Nous ne pouvons plus attendre. Je suis désolée, papa… je suis désolée, Mérope… mais je dois partir. Je dois faire quelque chose pour notre royaume… pour Regulus… pour Ombrage… »

22
La Fosse

Le sentier du refuge était raide, escarpé : Robinia, Ombrage, Regulus et Ulmus durent marcher pendant de longues heures avant de se retrouver en sécurité dans la Fosse. Cette grotte, dont l'entrée était dissimulée par la végétation, avait naguère été choisie comme ultime abri au cas où Triste Refuge serait attaqué. Bien des sentiers y conduisaient, mais tous étaient parfaitement camouflés, pour garantir une fuite aussi sûre que possible. Les Elfes des Forêts avaient toujours su qu'ils n'étaient pas complètement en sécurité à Triste Refuge, car nulle part on n'est à l'abri des Sorcières. C'est pourquoi ils avaient prévu une cachette en cas d'attaque : cette grotte qu'avait creusée au fil des siècles, dans la montagne, une petite rivière souterraine qui rejaillissait à cet endroit.

Après une entrée fort resserrée, la grotte s'enfonçait sur plusieurs kilomètres à l'intérieur de la montagne. Les Elfes qui l'avaient explorée avaient découvert des passages très étroits, qu'ils avaient peu à peu élargis :

c'était le « Grand Escalier », comme ils l'avaient appelé, qui débouchait au sommet des montagnes. Par mesure de précaution supplémentaire, ils avaient protégé l'entrée de la grotte en jetant un mince pont de cordes au-dessus du profond ravin où, autrefois, coulait la Rivière Fée, dont le lit n'était plus à présent qu'un terrain aride et caillouteux.

Ulmus et les jeunes gens étaient en sécurité : en dernière extrémité, ils avaient toujours la possibilité de couper le pont pour empêcher l'Armée Obscure de traverser le ravin et de pénétrer dans la grotte. Ils ne se sentirent pas tranquilles pour autant, car, toute la nuit, ils entendirent des cris dans le lointain, des bruits de pièges qui se déclenchaient, et un concert de hurlements terrifiants. Ils ne purent fermer l'œil, mais aucun d'eux n'eut le courage de parler.

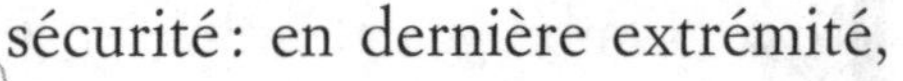

Aucun autre survivant ne rejoignit la Fosse.

Le lendemain matin, Robinia se leva et traversa le petit pont de cordes. Ombrage se leva à son tour et, sans un mot, la suivit. Ils étaient parvenus de l'autre côté du ravin quand la jeune fille ordonna, sans même se retourner :

– Fais demi-tour !

– Non, répondit Ombrage.

Robinia fit volte-face et le fixa avec froideur.

– Tu ne vas pas partir toute seule ! expliqua le garçon.

La jeune fille ricana.

– C'est mon peuple, pas le tien. Mon royaume, pas le tien ! Ce qui se passe ici ne te regarde pas ! Cela ne t'a jamais regardé ! Retourne chez toi, Étoilé, lança-t-elle avec dédain. Quant à moi, je n'ai plus envie de fuir… Aucun de nous ne peut plus fuir.

– Que veux-tu faire, dans ce cas ?

– Libérer les survivants, rassembler une nouvelle Ronde… Attaquer la Cité Grise et renverser le Roi Garou ! répliqua-t-elle avec assurance, après un long silence.

Ombrage eut l'impression qu'elle parlait sérieusement : ce n'était sans doute pas la première fois qu'elle envisageait cette possibilité.

– Tu peux ne pas le croire, et peut-être as-tu raison

quand tu dis que ceci n'est pas mon royaume ; mais je ne veux pas qu'il soit anéanti, pas plus que toi. Peut-être… puis-je t'aider…

– Et comment ? En souillant la mémoire de mon frère ? Les morts ne peuvent pas se défendre…

– Mon père non plus ne peut pas se défendre, rétorqua Ombrage.

Il s'efforça de se calmer :

– Écoute. J'ignore si Brugus a raison à propos de mon père et de ton frère. Tout ce que je sais, c'est que tous deux sont morts et que nous serons inutiles à ton peuple si nous continuons à nous disputer.

Robinia se retourna.

– Fais ce que tu veux ! s'exclama-t-elle avant de se remettre en route.

Ombrage jeta un coup d'œil derrière lui et poussa un faible soupir. Puis il la suivit.

Une fumée dense s'élevait des ruines de Triste Refuge ; le feu brûlait encore au cœur des troncs et couvait sous la cendre, prêt à se rallumer au premier souffle de vent. Il n'y avait plus rien.

Ombrage se cacha derrière un tas de bois et attendit que deux gardes vêtus de rouge s'éloignent.

– Des Loups-Garous… murmura Robinia. Ils ont une ouïe très fine, attention à ne pas attirer leur attention.

Ils se dirigèrent vers ce qui restait du village, mais ils ne purent pas s'approcher trop près car la zone était infestée de Loups-Garous et il y avait même des Chevaliers sans Cœur.

– Ils construisent quelque chose, remarqua Ombrage

en se penchant pour regarder derrière les ruines fumantes d'une cabane abandonnée.

– Des cages de bois, déclara Robinia, serrant les dents.

– Parfait. S'ils ont des prisonniers, cela veut dire qu'ils n'ont pas tué tout le monde.

Elle acquiesça tristement et entrevit les visages de quelques prisonniers. Elle plissa le front. Une spirale bleuâtre ondoya au-dessus de la Forêt Bleue et se balança devant les Loups-Garous comme si elle essayait de communiquer avec eux.

– Et ça, qu'est-ce que c'est ? demanda Ombrage.

– Un Spectre… Je n'en avais jamais vu loin de la Forêt Bleue… murmura-t-elle d'une voix brisée, observant, incrédule, les filaments bleutés qui flottaient dans l'air. C'est eux… comprit alors la jeune fille. Ce sont les Spectres qui nous ont trahis !

Ombrage jeta un autre coup d'œil et remarqua que deux Loups-Garous s'étaient retournés dans leur direction. Les avaient-ils vus ?

Il prit doucement Robinia par le bras et dit :

– Allons-nous-en !

Étonnamment, la jeune fille obéit.

Quand ils furent revenus près de la Fosse, Robinia ne put davantage retenir ses larmes.

– Ils ont arrêté tout le monde. Tout le monde… Que me reste-t-il désormais ? Ne vaudrait-il pas mieux que je les rejoigne ? gémit-elle. Triste Refuge est détruit, mes amis sont capturés, tout ce que j'aimais est perdu… Personne ne pourra m'aider à libérer *mon royaume !*

– Regulus et moi, nous pouvons…

Robinia leva deux yeux incrédules et brûlants.

– Ton ami et toi ? Et que pouvons-nous faire à trois ? Tu as vu les Loups-Garous… Tu as vu les Chevaliers sans Cœur… Imagines-tu sérieusement que tu vas faire le poids face à ces créatures monstrueuses ?

– Viens avec nous au Pic Argenté, répliqua Ombrage en fixant la jeune fille. Nous avons besoin d'un guide qui connaisse parfaitement ce royaume, les créatures qui y vivent et les pièges qui s'y cachent !

– Vous accompagner au Pic Argenté ? s'effraya-t-elle. Personne n'y est retourné depuis plusieurs générations, personne ne connaît la route…

– Tu connais ces lieux mieux que nous, observa Ombrage. Je crois que le seul moyen de sauver ton peuple, c'est d'aller au Pic Argenté.

Robinia sécha ses larmes et reprit son souffle.

– Il y a quelque chose que tu ne m'as pas dit, n'est-ce pas, Étoilé ?

Ombrage serra les lèvres et, enfin, se décida à parler :

– J'ai sur moi un présent de la Reine des Fées.

Il sortit de sa chemise le médaillon, le montra à la jeune fille et lui expliqua à quoi il servait.

– Sans cette boussole, nous serions tombés dans vos pièges ou dans ceux des ennemis. Nous ne le savions pas alors, mais elle nous a permis de les éviter les uns après les autres… murmura-t-il.

Robinia regarda alternativement Ombrage et l'étrange boussole qui n'indiquait pas le nord. Une étincelle d'espoir brilla au fond de ses yeux.

23
ROCHE CRÊTE

– Je me débrouillerai, ne craignez rien. Ici, j'ai tout ce qu'il me faut, dit Ulmus tandis qu'avec Regulus et Ombrage elle prenait un repas froid à l'intérieur de la Fosse. Allez-y… il faut que vous y alliez. Vous aurez besoin de Robinia et elle a besoin de se trouver elle-même. Moi, je dois rester. Si quelqu'un a pu s'échapper… il essaiera de venir ici et je serai là pour l'accueillir.

C'est à ce moment que Robinia se joignit à eux : sur un rocher, elle étala une vieille carte qu'elle avait dénichée dans le refuge, au milieu d'autres parchemins.

– En montant le Grand Escalier, nous pourrons atteindre Roche Crête. D'après cette carte, c'est la voie la plus rapide pour le Pic Argenté, dit-elle, les yeux fixés sur le parchemin. Je pourrai vous aider à rejoindre l'ancienne source de la Rivière Fée. En espérant que ce soit vraiment à cela que faisait allusion l'énigme de Juniperus, et en espérant encore que tous ces vers ne sont pas pure folie…

Mais j'imagine que notre voyage nous fournira la réponse à ces questions. Ulmus a raison, il y a quelque chose que je dois affronter, ajouta-t-elle en baissant la voix et en détournant le regard.

Soufretin frotta son museau sur sa main et la contempla comme s'il avait compris ce qu'elle avait dit. La jeune fille lui gratta la tête et poursuivit :

– Avant toute chose, je dois libérer mon peuple et si, pour cela, il me faut vous accompagner au bout du royaume de la Fantaisie, je le ferai !

– Alors, partons ! s'exclama Ombrage, en réprimant un sourire de satisfaction.

Robinia fixa ses yeux sur ceux de Regulus, puis sur ceux d'Ombrage. Et acquiesça.

Le lendemain matin, les trois jeunes gens partirent en emmenant Soufretin, qui n'avait pas voulu quitter l'épaule de Robinia. Ils prirent congé d'Ulmus et commencèrent à gravir le Grand Escalier qui s'enfonçait dans la roche, au cœur de la montagne.

Quand ils atteignirent le sommet, l'aube venait de se lever et ils restèrent quelques instants éblouis par la

lumière du soleil qui brillait sur la forêt entourant Roche Crête. Dans le lointain, on apercevait un sommet solitaire : le Pic Argenté.

Au nord de cette arête rocheuse se distinguaient les reflets gris de ce que Robinia nomma la Forêt Pierreuse.

Soufretin se tenait solidement accroché sur l'épaule de la jeune fille, gémissant et lançant autour de lui des regards qui semblaient indiquer qu'il n'appréciait pas du tout les beautés du paysage.

L'après-midi, les jeunes gens durent longer ce que la carte désignait comme la Crinière du Cheval : un sentier très raide et très étroit qui serpentait entre les rochers.

– Nous devons vraiment passer par là ? demanda Regulus, en considérant l'horrible éperon rocheux d'un air inquiet.

Le vent soufflait de plus en plus fort et la marche les avait épuisés, mais Robinia décida qu'ils ne se reposeraient qu'après avoir franchi cet obstacle.

Elle caressa la nuque de Soufretin et soupira.

– Il n'y a pas d'autre route. Et le chemin de demain ne sera pas plus agréable…

Ombrage regarda les rochers avec appréhension. Le sentier n'était pas seulement impraticable et très escarpé, il était sillonné de crevasses qu'ils allaient devoir traverser en se suspendant dans le vide.

– Ça ne semble pas très stable…

– Attachez cette corde autour de votre taille, dit Robinia.

Ombrage la regarda faire un nœud d'une main experte et aida Regulus, avant de s'attacher lui-même : il serait le dernier de la cordée.

Le vent agitait les buissons, murmurant un avertissement lourd de menaces.

Ce même matin, au royaume des Elfes Étoilés, le soleil se leva dans un ciel pur, et Spica frissonna. Seule, suivant le sentier qui longeait la Rivière Ridée, elle s'éloignait de chez elle, le cœur lourd, emportant une besace bourrée de provisions. Elle avait laissé une lettre qui informait Mérope et son père de ce qu'elle entreprenait.

Elle se retourna et accorda un dernier regard à la colline où le Portail avait englouti Ombrage et Regulus. Les reverrait-elle jamais ? se demanda-t-elle. Et pourquoi Stellarius n'était-il pas revenu la chercher ? Peut-être lui était-il arrivé quelque chose… Peut-être…

Spica repensa en frissonnant aux restes de Cygne et secoua la tête. Non. Stellarius était un mage et il ne devait pas être si aisé de le tuer, mais, quant à elle, il lui faudrait être prudente, très prudente.

Elle serra nerveusement les mains sur son arc, prit sa respiration et poursuivit sa route.

Qu'ils essaient un peu de s'en prendre à elle, et ils verraient… Elle allait donner du fil à retordre à ces horribles créatures !

Le passage de la Crinière du Cheval se révéla une épreuve plus ardue qu'ils ne l'avaient imaginé. Plusieurs fois au cours de l'escalade, Robinia fut obligée de faire halte pour se reposer. Ils devaient progresser très lentement pour ne pas être déséquilibrés par le vent cinglant. Reliés les uns aux autres par la corde, ils posaient les pieds là où la roche semblait la plus stable, mais chaque pas était une nouvelle aventure. Plusieurs fois, Regulus avait mal assuré sa prise et avait failli chuter ; l'angoisse transparaissait sur son visage, et Ombrage savait que la même expression se peignait sur le sien. À un moment, Regulus heurta un petit rocher et faillit perdre l'équilibre. Il vit la pierre se détacher et tomber dans le vide, sans un bruit ; puis on entendit un éboulement. Il ne regarda pas en bas, mais il eut l'impression que le gouffre le guettait tel un loup affamé.

Robinia se retourna avec un regard inquiet, puis ils reprirent l'ascension, n'atteignant qu'à grand-peine la dernière éminence, la plus irrégulière, au sommet de la Crinière du Cheval.

Il ne leur restait plus qu'une dizaine de pas, mais, en cet endroit, le sentier se resserrait encore et une soudaine bourrasque révéla que la roche était encore plus friable. Robinia s'accroupit sur une pierre et observa la route à parcourir.

– Nous n'y arriverons jamais… gémit Regulus.

Ombrage constata qu'il leur était impossible de faire marche arrière : nombre des points sur lesquels ils avaient pris appui s'étaient effondrés après leur passage.

– Nous sommes forcés de continuer, dit-il à son ami.

Mais sa voix fut emportée par le vent.

Robinia se releva.

– Il n'y a qu'une façon de passer. Suivez-moi. Et tenez-vous sur la gauche du sentier.

Ils se mirent en route.

Tout se déroula d'abord aussi bien que possible. Puis la jeune fille posa le pied sur un rocher branlant. Pendant un instant, paralysés par la peur, les trois jeunes gens entendirent le craquement des pierres. Robinia déplaça imperceptiblement le poids de son corps, mais le rocher, sous son autre pied, chancela également. C'est alors qu'une rafale déséquilibra Robinia, qui glissa dans le vide.

Ses mains cherchèrent frénétiquement à se rattraper à la roche et elle entendit les cris de ses compagnons au-dessus de sa tête. Le vent la rabattit contre la paroi rocheuse et, durant quelques secondes, elle resta ainsi, suspendue au-dessus du gouffre.

Puis ce point d'appui s'effrita entre ses doigts, et la chute reprit.

Regulus gémit et s'arc-bouta en arrière pour tenter de faire contrepoids. La corde se tendit violemment et freina la chute de Robinia. La jeune fille était de nouveau suspendue dans le vide. Mais, au moment où elle tentait de remonter sur le sentier, la pierre sur laquelle Regulus prenait appui s'émietta comme un biscuit.

Robinia sentit qu'elle tombait et crispa désespérément les mâchoires, tandis qu'une grêle de petits cailloux s'abattait sur sa tête.

Regulus poussa un cri étouffé et fut entraîné par la corde et par le poids de la jeune fille. Il glissa, raclant la roche sur plus d'un mètre. Ombrage eut à peine le temps d'entourer la corde autour de son bras avant que Regulus ne tombe à son tour dans le vide.

Puis, instinctivement, il sauta sur l'étroit sentier qui courait sur l'autre flanc de la montagne.

24
Le Lac de Feu

Une nouvelle secousse très violente lui coupa la respiration et, soudain, la roche effritée cessa de lui cingler le visage. Robinia toussa et agita les bras, incrédule. La corde était tendue et grinçait, mais elle ne s'était pas rompue. La chute de la jeune fille s'était arrêtée net.

Elle sentit des larmes de désespoir et de soulagement couler sur ses joues, elle sentit les griffes de Soufretin qui s'agrippaient fébrilement à ses vêtements en lui égratignant le dos.

Puis elle entendit une voix qui criait :

– Remonte… On ne va pas rester ici éternellement !

C'était la voix de Regulus.

La jeune fille se frotta les yeux pour chasser la poussière de roche qui l'aveuglait et elle prit conscience de l'épouvantable situation dans laquelle elle se trouvait. Rassemblant le peu de force qui lui restait, elle entreprit de se balancer jusqu'à heurter la paroi rocheuse. Elle tremblait de peur lorsqu'elle put s'assurer une prise grâce à une minuscule anfractuosité de la paroi, puis elle sentit que la corde se tendait à se rompre et elle remonta progressivement jusqu'au sommet.

– Ça va ? cria Ombrage en se retenant aux rochers plus stables de l'arête.

Elle acquiesça, le souffle court, et ce fut seulement quand elle eut les pieds fermement plantés sur la roche qu'elle se rendit compte que le garçon s'était arc-bouté de l'autre côté de la crête, la corde entourée deux ou trois fois autour d'un bras. Il avait brillamment réagi et il les avait sauvés… au péril de sa propre vie !

La jeune fille chercha Regulus du regard : il avait les mains égratignées par le frottement de la corde, la moitié du visage écorchée, du sang sur le genou et sur la hanche. Il n'était pas difficile d'imaginer ce qui s'était passé. Entraîné par sa chute, il avait d'abord glissé, mais il avait réussi à se raccrocher à une saillie et avait ainsi pu aider la jeune fille à remonter…

– Tu parles d'un sentier facile ! marmonna Regulus.

Le ton bougon du garçon cachait mal le soulagement qu'il éprouvait à revoir Robinia saine et sauve.

La jeune Elfe se sentit rougir, pinça les lèvres et, sans un mot, reprit sa position dans la cordée.

En quelques minutes, malgré leurs jambes qui flageolaient à chaque pas, ils atteignirent le bout de la Crinière du Cheval et du sentier caillouteux.

Sur l'autre versant, c'étaient de nouveau les Hauteurs Boisées, calmes et rassurantes, qui, traversant la Forêt Pierreuse, dévalaient jusqu'aux eaux sombres d'un lac.

– Qu'est-ce que c'est que cet endroit ? s'enquit Regulus.

Ombrage ne pouvait détacher son regard de la surface du lac, sous laquelle tourbillonnaient des reflets rouges.

– On l'appelle le Lac de Feu, leur apprit la jeune fille.

– Et ça, là-bas, dit Ombrage en désignant du menton une île rocheuse qui s'élevait au milieu du lac, c'est le Pic Argenté !

– Que comptez-vous faire quand nous serons là-bas ? Que pouvons-nous espérer trouver aux sources de la Rivière Fée ?

– De l'eau, j'espère, répondit Ombrage.

– Nous ferions mieux de nous demander comment nous allons traverser ce lac, marmonna Regulus en jetant un coup d'œil à ses blessures. Je me trompe peut-être, mais j'ai comme l'impression qu'un banal canoë ne sera pas suffisant. Es-tu sûr que nous devons aller dans cette direction, petit frère ?

Ombrage consulta la boussole.

– Oui, c'est bien la direction, acquiesça-t-il.

Il remarqua que le regard de Robinia glissait attentivement sur la boussole avant de s'arrêter sur lui.

– Petit frère ? fit-elle après une longue pause. Vous êtes… frères ? ajouta-t-elle, surprise.

– Eh bien, pas exactement. Comme tu le vois, dit Regulus, il est beaucoup plus moche que moi !

Ombrage éclata de rire et secoua la tête.

– Nous avons été élevés ensemble. Nous ne sommes pas frères au sens propre du mot, mais c'est comme si nous l'étions, expliqua-t-il.

La jeune fille lui adressa un regard acéré, puis ouvrit son sac à dos et distribua la nourriture en silence.

Lentement, la vallée sombra dans l'obscurité tandis que la nuit s'installait autour d'eux.

Et, de nouveau, Ombrage éprouva cette sensation, l'horrible sensation qu'il allait se passer quelque chose de vraiment terrifiant.

C'est à ce moment que Spica le vit.

Déjà, elle l'avait repéré quand, dans l'après-midi, le soleil s'était caché derrière l'épaisse couverture nuageuse.

À présent que la nuit descendait, le Crépusculaire qui la suivait s'était enhardi.

« Tant mieux », pensa la jeune fille avec un soupir inquiet. Il fallait que le Crépusculaire croie qu'elle l'avait pris pour une banale chauve-souris, qu'il la considère comme une proie innocente, à l'instar du pauvre vieux Cygne. Pour feindre l'insouciance, elle se mit à chantonner, mais des frissons lui parcouraient le dos.

Cela signifiait qu'elle était sur la bonne route, se dit-elle, et que les Crépusculaires avaient trouvé, dans le voisinage, un endroit où s'abriter aux heures les plus ensoleillées de la journée. Ce soir-là, elle bivouaquerait au bord du sentier, sans cesser de surveiller son ennemi.

Il fallut trois jours et demi aux jeunes gens pour atteindre les rives du lac inquiétant.

La Forêt Pierreuse se clairsema et céda peu à peu le terrain à l'eau. Ou, plutôt, à la boue. Il devint encore plus difficile d'avancer. Il leur fallut se frayer un chemin au milieu des roseaux et des broussailles, patauger dans la vase. L'air stagnait, lourd d'un silence oppressant. Enfin, ils découvrirent un endroit où le lac se resserrait par suite d'un éboulement.

– Il semble qu'il y ait une sorte de digue, dit Ombrage en désignant un point non loin de là.

Un amoncellement de rochers aux arêtes aussi tranchantes qu'irrégulières avait bloqué des troncs et des branchages, pour former un barrage naturel. Les jeunes gens le traversèrent, en se risquant avec précaution sur les cailloux pointus. Ils finirent par atteindre la rive, où ils décidèrent de faire halte, car une nouvelle nuit commençait à tomber.

Le Lac de Feu s'étendait devant eux dans toute sa majestueuse tristesse. Il était comme une gigantesque main aux innombrables doigts, une sorte d'empreinte en creux dans laquelle l'eau s'était accumulée au fil des siècles. Au milieu de cette eau sombre, aux reflets rougeâtres, se dressait une montagne de calcaire blanc, aussi pointue qu'un fer de lance. Le Pic Argenté.

Un silence inquiétant enveloppait ce paysage étrange. Les jeunes gens allumèrent un feu et s'assirent, essayant de dissiper les ombres dans leurs cœurs et l'humidité dans leurs os.

– À votre avis, comment pouvons-nous traverser le lac ? demanda Robinia.

Ombrage se retourna et dit :

– Nous allons construire un radeau.

La lueur rougeâtre ondoya sinistrement sous la surface du lac et quelque chose, au loin, glissa lentement avant de s'enfoncer dans l'eau.

25
LA GORGE NOUÉE

Pendant trois jours, Spica avait longé la rivière, puis elle avait bifurqué et s'était enfoncée dans la forêt. Dès lors qu'elle avait pris la direction des Monts de la Faux d'Argent, il était difficile de faire croire au Crépusculaire qu'elle ne le voyait pas. La chauve-souris n'avait cessé de lui tourner autour pendant qu'elle recherchait les traces de Stellarius : elle espérait qu'il était passé par là, mais n'avait rien trouvé.

Au matin, elle avait aperçu deux autres Crépusculaires. Elle les avait suivis, s'aventurant entre les arbres, et elle avait vu l'une des chauves-souris se faufiler à travers une ouverture à la base de la montagne.

La roche semblait exhaler un souffle glacial, et Spica avait frissonné. Tapie dans un épais maquis, la jeune fille avait attendu que le soleil monte au zénith.

Quand sa lumière fut éclatante, la jeune fille découvrit une petite forme couleur amarante suspendue à la voûte de la grotte, comme un ver à un hameçon.

« C'est le moment », pensa-t-elle, intrépide. Elle pouvait profiter de la réverbération du soleil sur les rochers, qui allait obliger les Crépusculaires à sortir de la grotte. Alors, son arc pourrait entrer en action.

Spica s'agenouilla derrière un buisson et se prépara. Elle vérifia ses flèches, l'arc, et de nouveau sa proie qui se balançait. Puis elle remarqua les quatre yeux rouges qui scintillaient, et elle frémit. Incapable d'attendre davantage, elle ajusta une flèche, visa et tira.

La flèche partit comme un éclair. Elle s'était à peine détachée de l'arc que les ailes du Crépusculaire se déployèrent et que l'horrible chauve-souris essaya de s'envoler lourdement. La jeune fille la vit tomber sous son coup, mais elle n'eut pas le temps de se réjouir, car un cri assourdissant jaillit hors de la grotte, mille fois plus fort et plus féroce que celui qu'elle avait entendu quand son frère et Ombrage avaient traversé le Portail du royaume perdu.

Soudain, elle se rendit compte que ce hurlement ne provenait pas seulement de la grotte, mais qu'il retentissait aussi derrière elle, et son estomac fut tenaillé par un sentiment de terreur. Elle avait sous-évalué son ennemi.

Elle décida cependant de ne pas abandonner la partie et encocha une nouvelle flèche. Hélas, un nuage furieux s'élança hors de la grotte et se joignit à un autre nuage qui arrivait dans son dos. Spica ferma les yeux et cria, tandis que les deux nuages de créatures monstrueuses fonçaient sur elle, comme des milliers de mains tendues pour la déchiqueter. Comme ils l'avaient déjà fait pour le pauvre Cygne. Comme ils l'avaient peut-être fait avec Ombrage et Regulus…

Spica lutta désespérément dans un nuage de Crépusculaires, et elle parvint même à en tuer quelques-

uns. C'est alors que quelque chose de flamboyant passa au-dessus d'elle. Des lueurs, des explosions secouèrent les arbres et les montagnes, et des buissons s'enflammèrent, tandis qu'un bruit semblable au tonnerre grondait dans la vallée.

Nombre des monstres qui avaient attaqué Spica disparurent dans des fontaines de flammes bleues. D'autres s'enfuirent en piaillant, jusqu'à ce que tout redevienne paisible et silencieux.

Une haute et imposante silhouette se pencha alors sur la jeune fille et posa sa grosse main sur sa tête.

– Tu vas bien, jeune fille ? demanda la voix de Stellarius.

Spica, tremblant comme une feuille, acquiesça lentement, leva les yeux et croisa ceux du mage, qui flamboyaient.

– Qu'est-ce qui t'a pris, peut-on le savoir ? la réprimanda-t-il d'un ton qui n'admettait pas de réplique.

– Je… balbutia la jeune fille.

– Rien du tout ! Chasser des créatures dont on ne sait

pratiquement rien ! Et seule, en plus ! J'attendais autre chose de toi, jeune fille, mais pas un geste aussi insensé ! Regarde dans quel état tu t'es mise ! Si je n'étais pas passé par là, ç'aurait été la fin pour toi ! s'écria-t-il, furieux.

Le mage parut à Spica plus grand et plus menaçant que lors de leur précédente rencontre.

– Alors, cria-t-il encore, en faisant trembler la terre, qu'as-tu à répondre ?

Spica ferma les yeux et sentit une larme couler sur sa joue. Elle aurait pu dire mille et mille choses. Elle aurait pu parler de la mort de Cygne, des progrès qu'elle avait faits en tir à l'arc, des cauchemars qui la persécutaient… Elle aurait pu expliquer qu'elle avait même eu peur que Stellarius soit mort… Mais elle n'en fit rien.

La vérité, et elle le savait, c'est qu'elle s'était trompée. On lui avait dit d'attendre et elle avait désobéi.

– Je regrette… murmura-t-elle.

Stellarius sembla surpris par sa réaction et garda le silence un instant.

– Oh, bien sûr. Je voudrais voir cela ! marmonna-t-il enfin.

Puis le mage se dirigea vers la grotte. Il y entra et ressortit bientôt.

– Allez, debout ! Vite ! À première vue, lui lança-t-il

d'un ton bourru, tu n'as que quelques égratignures. Rien que l'on ne puisse guérir facilement. Je crois pourtant qu'il faudra faire quelque chose pour tes cheveux… Ils sont tout poisseux et couverts d'une bave rougeâtre !

La jeune fille passa la main dans ses cheveux emmêlés, essayant d'y mettre un peu d'ordre, sans grand succès.

– Tu t'occuperas de tes tresses plus tard, lui dit brusquement le mage, nous devons partir. Tu as découvert l'un des refuges des Crépusculaires. Mais, maintenant, il faut que nous nous dépêchions, Spica, nous avons beaucoup à faire et trop peu de temps pour le faire !

Ombrage se leva et reprit sa respiration. La construction d'un radeau qui puisse les transporter tous les trois s'était révélée une entreprise ardue, exténuante, d'autant plus que Robinia boudait Regulus et s'obstinait à ne pas lui adresser la parole.

Le Forestier essuya son front du revers de sa manche et testa du pied la résistance des cordes et des nœuds.

– Le radeau est prêt. Quand partons-nous ? demanda Robinia, impatiente.

– Tout de suite, dit Ombrage. Il nous reste encore plusieurs heures de jour et je voudrais arriver au pied du Pic Argenté le plus tôt possible. Qu'en dites-vous ?

Regulus et Robinia acquiescèrent et entassèrent leurs affaires sur le radeau. Puis ils le mirent à l'eau et le regardèrent flotter.

– Eh bien, nous avons fait du bon travail ! s'exclama Regulus, et il sauta sur le radeau d'un bond assuré. Il tendit une main à Robinia. La jeune fille releva le menton et préféra se débrouiller seule. Frissonnant, un étrange pressentiment au fond du cœur, Ombrage monta, empoigna la longue perche qui devait lui servir de rame et écarta le radeau de la rive, prenant le large sur l'eau rougeâtre.

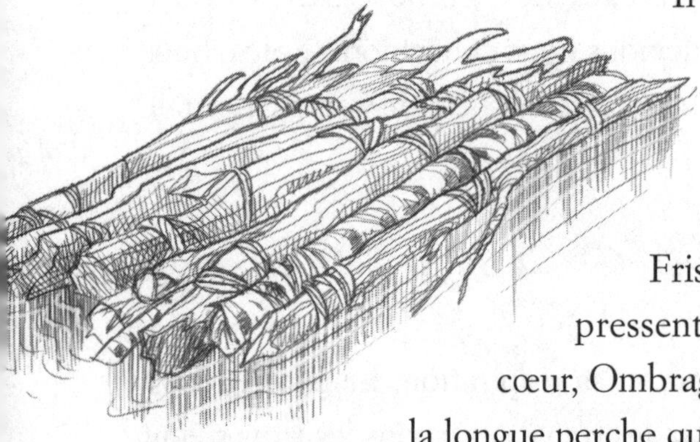

Le soleil était chaud et l'air immobile.

Le lac ne cessait de lancer des reflets rouges sous le radeau, mais les jeunes gens, qui étaient déjà à la moitié de la traversée, commençaient à se tranquilliser.

– C'est bizarre, dit Robinia, en regardant Soufretin qui

fixait l'eau d'un œil attentif, je n'arrive pas à comprendre ce que sont ces reflets rougeâtres.

– C'est peut-être une variété de corail luminescent, hasarda Regulus.

– Peut-être… acquiesça-t-elle, sans se rendre compte qu'elle avait répondu au garçon.

Le jeune Elfe Étoilé la regarda avec attention et se gratta la nuque, conscient d'avoir pensé qu'elle était très mignonne. Il chassa cette pensée et fixa les yeux sur le Pic Argenté.

– Je n'aurais pas cru que la traversée serait si longue… dit-il.

– En plus, ajouta Ombrage, l'eau a quelque chose de bizarre. Elle est dense comme de l'huile.

– C'est vrai… marmonna Regulus.

– Il y a des « choses » qui viennent se coller sur le bois ! s'exclama soudain Robinia.

Elle désigna la rame d'Ombrage et les garçons constatèrent que le bois était recouvert de petits coraux rouges.

– Qu'est-ce que ça peut bien être ? demanda Regulus.

Soufretin poussa un grognement, comme s'il n'était pas content, et entreprit de gratter le bord du radeau de ses griffes.

Ombrage répliqua :

– Nous avons intérêt à atteindre le Pic au plus vite !

Il sortit la rame de l'eau : elle était plus lourde et sa partie humide était entièrement tapissée de coraux rouges.

Regulus désigna du menton l'une des bottes de Robinia, qui était à moitié rouge, et il ajouta :

– Nous attirons les coraux… Ils se collent partout !

La jeune fille secoua le pied pour tenter de décrocher ces étranges coraux. Il ne s'en détacha que quelques-uns, qui coulèrent à pic.

– Bon sang ! Je n'aime pas ça… Je n'aime pas du tout ça ! gronda Regulus en serrant les dents.

– Moi non plus… dit-elle.

– Prépare ton arbalète, ordonna soudain Ombrage.

– C'est trop petit pour une arbalète, frérot ! objecta Regulus en prenant tout de même son arme.

– Peut-être, mais il y a, là-dessous, quelque chose qui vient de bouger, répondit Ombrage.

Il eut le plus grand mal à sortir la rame de l'eau, car elle était désormais très lourde. On entendit un craquement, puis la rame se brisa en deux. C'est alors que quelque chose heurta le radeau et que, sous le choc, le garçon perdit l'équilibre et tomba à l'eau.

Robinia cria en s'accrochant aux cordes.

Regulus tomba à la renverse et laissa partir le trait de son arbalète. Puis il cria :

– Ombrage !

L'eau noire et huileuse l'avait déjà englouti quand un éclair sinistre jaillit sous le radeau.

Au royaume des Étoiles aussi, ce fut un après-midi insolite. Le soir tomba rapidement sur les montagnes, froid et mystérieux.

– Nous nous mettrons en route demain matin, marmonna Stellarius d'un ton autoritaire.

– Pour aller où ? demanda Spica.

– Hum, tu as retrouvé ta voix, alors ? siffla le mage en se retournant vers elle.

La jeune fille rougit et baissa les yeux. Le mage choisit un endroit où passer la nuit, tendit son bâton en direction d'une touffe de bruyères et, d'un éclair, l'enflamma comme un feu de joie. Puis il s'assit près du feu et fit signe à Spica de s'approcher.

– Pendant que tu t'amusais à chasser les Crépusculaires, je recherchais l'endroit où ces êtres monstrueux ont placé le Miroir des Hordes, dit-il.

– Le miroir de quoi ? demanda la jeune fille, en fixant sur le mage un regard étonné.

Stellarius soupira.

– Le Miroir des Hordes… D'après ce que j'ai découvert, c'est un miroir d'eau, la plupart du temps stagnante, autour duquel les Crépusculaires montent la garde : je ne sais pas encore comment, mais, d'une manière ou d'une autre, les Sorcières et leurs alliés utilisent ces miroirs d'eau pour activer une sorte de Portail. Toutefois, au lieu de relier des royaumes pacifiques, il fait communiquer les royaumes assujettis au Pouvoir Obscur, où sont massées les troupes de la Reine Noire, prêtes à une invasion rapide et impromptue.

– Et vous avez trouvé ce miroir ? s'enquit Spica. C'est là que nous allons ?

– Évidemment. Où veux-tu que nous allions ?

– Comment ces Crépusculaires peuvent-ils activer une liaison entre les royaumes qui ont été conquis ? Seules les Fées peuvent faire ça… En tout cas, c'est ce que l'on raconte… murmura Spica.

Elle sortit son poignard de ses bottes et saisit l'une de ses longues tresses blondes, que Mérope aimait tant coiffer pour les fêtes, au bourg. Stellarius l'observa d'un œil attentif pendant qu'elle coupait ses cheveux sans regret, se libérant de la bave rouge des Crépusculaires qu'elle avait courageusement tués.

– Autrefois, c'est vrai, les Fées en étaient les seules capables… Mais la Reine Noire a dû trouver le moyen de les imiter… Je dois découvrir comment elle a fait, afin d'empêcher la conquête de nouveaux royaumes. Les Crépusculaires sont des créatures douées de mille ressources. Elles pensent comme si elles ne formaient qu'un seul cerveau, et elles voient avec mille yeux dans des lieux différents… Il est difficile de les tromper ! expliqua-t-il en fixant les flammes.

Puis, il regarda la jeune fille qui avait fini de se couper les cheveux.

– Ah ! s'exclama-t-il en riant. On dirait que tu es passée sous la main d'un tondeur de brebis !

Spica soupira, puis éclata de rire à son tour. Elle glissa la main dans ses courts cheveux blonds et jeta ses tresses dans le feu. Ce fut un lent crépitement et des étincelles vermeilles fusèrent dans la pénombre.

– Alors, qu'en dis-tu, jeune fille ? Feras-tu quelque chose pour combattre le Pouvoir Obscur ?

– Bien sûr. Je vous aiderai ! répondit-elle d'un air déterminé.

– C'est ce que je voulais t'entendre dire ! murmura Stellarius, satisfait.

Il fouilla dans sa besace et lui lança un morceau de fromage et une petite miche de pain.

26
LE POISSON D'OR

– Ombrage ! Ombrage ! s'écria Regulus, s'agenouillant au bord du radeau et scrutant l'eau en écarquillant les yeux.

– Laisse tomber… je crains que nous ne le revoyions plus, murmura alors Robinia, qui faisait de même de l'autre côté du radeau.

Un nouveau craquement se fit entendre, et une corde se relâcha avec un claquement.

– Que dis-tu ? Ombrage n'est pas mort ! Il ne peut pas être mort ! hurla le garçon.

– Regarde là-bas ! s'exclama-t-elle alors, bouleversée. Maintenant, je sais ce que c'est… Ces coraux sont les sentinelles des Abyssaux… et… et cela signifie qu'Ombrage est déjà mort… et que nous sommes morts nous aussi ! Nous aussi ! gémit Robinia, terrifiée, et elle commença à sangloter désespérément.

– Et qu'est-ce que c'est que ces Abyssaux ? demanda Regulus, en bafouillant.

– Je ne sais pas grand-chose d'eux. Ils font partie des créatures les plus anciennes de tous les royaumes... Je sais seulement qu'ils habitent les eaux profondes et qu'ils font couler les bateaux pour dévorer les navigateurs. Aucun des lieux infestés par les Abyssaux n'a jamais été peuplé que par leurs sentinelles... Et ceux qui les ont déjà vus n'ont pas survécu pour pouvoir les décrire... J'aurais dû me rappeler plus tôt ces vieilles histoires sur les eaux zébrées de rouge... J'aurais dû me souvenir des coraux rouges...

– Peu importe ! Tu n'y as peut-être pas pensé, mais nous sommes encore sur le radeau !

La jeune fille lui hurla au visage :

– Tu ne comprends vraiment rien ! Ces coraux rouges... alourdissent le radeau et nous n'avons plus de rame et... et ils continueront à se coller au radeau jusqu'à ce qu'il soit trop lourd pour flotter... et alors, nous aussi, nous coulerons, et les Abyssaux nous attaqueront et... balbutia-t-elle, incapable de poursuivre.

Regulus garda le silence, comme s'il étudiait diverses possibilités, l'esprit en ébullition. Puis il murmura, en serrant les dents :

– Nous n'allons pas nous laisser faire. Je n'ai aucune intention de servir de pâture à ces horribles bestioles !

Soufretin émit un grognement sourd, recula vers le

centre du radeau et Robinia fut pétrifiée. Elle leva les yeux sur Regulus, d'un air perdu.

Le radeau craqua de nouveau et les sentinelles rouges leur semblèrent plus insistantes et plus nombreuses.

Regulus observa la rive et se mordit la lèvre inférieure en se demandant ce qu'il y avait de mieux à faire.

– Tu sais nager ? interrogea-t-il, en plaçant sa besace de manière à ne pas la perdre.

Robinia le regarda, perplexe.

– Je ne comprends pas ce que tu veux faire… murmura-t-elle d'un ton incertain.

Soufretin émit un gargouillement épouvanté.

– Nous nous éloignons du Pic Argenté, répondit-il rapidement. Si nous attendons davantage, nous n'y arriverons jamais et, comme tu me l'as fait remarquer, notre radeau ne tardera pas à couler. Nous n'avons qu'un seul espoir : nager jusqu'à la rive !

– Mais les Abyssaux… répondit Robinia en pâlissant.

– Nous pouvons y arriver ! s'exclama Regulus. Ou, plutôt, nous *devons* y arriver !

Robinia soupira à la vue des traînées de feu qui serpentaient dans les profondeurs obscures du lac.

– Si seulement j'avais compris plus tôt…

– L'heure n'est pas aux regrets ! Retire plutôt ton manteau, il t'alourdirait trop ! lui dit-il d'un ton décidé, en faisant de même avec le sien et en le jetant dans l'eau, loin du radeau.

Il ne restait plus de temps pour rien, il ne restait plus de temps pour penser à Ombrage, pour se demander pourquoi il n'était pas remonté à la surface alors qu'il était un excellent nageur. Regulus ne savait même pas si son idée était bonne, mais il n'en avait pas d'autre.

Il songea que, si les Abyssaux avaient eu le dessus, au moins la pierre d'obsidienne avait-elle fini au fond du lac avec Ombrage : les méchantes Sorcières ne pourraient pas l'utiliser pour traverser le Portail et envahir son royaume.

Il prit Robinia par la main ; elle tremblait.

– Tu es prête ?

– Je crois que je ne le serai jamais… murmura-t-elle en fixant Regulus et l'étoile qui brillait mystérieusement sur son front.

Soufretin gargouilla de nouveau, désespérément.

– Je regrette, mon ami, je sais que tu n'aimes pas l'eau,

mais nous n'avons pas le choix. Tu vas t'accrocher à moi et tout se passera bien ! dit Robinia, pour le rassurer.

– Allons-y ! s'exclama Regulus.

Et, d'un même élan, les deux jeunes gens sautèrent dans l'eau.

Une seconde plus tard, le radeau craqua, gémit et fut englouti par le Lac de Feu. Puis il coula lentement au fond du lac.

De longues stries de lumière rouge, semblables à des éclairs de feu, se précipitèrent sur l'épave.

Ombrage lutta vaillamment pour remonter à la surface, et il y était presque parvenu quand un scintillement doré attira son regard vers le bas. Ce fut à cet instant qu'il se rendit compte que la chaînette qu'il avait jusqu'alors portée autour du cou, la chaînette de la boussole de la Reine des Fées, s'était rompue. Une maille avait dû casser sous le poids des coraux rouges qui s'y étaient collés comme à la rame du radeau.

Le garçon plongea, sans réfléchir, pour récupérer le précieux médaillon qui s'enfonçait dans les abîmes, en direction des traînées de lumière enflammées.

C'est alors qu'il les vit. On aurait dit de longues anguilles brillant de reflets rouges qui nageaient au fond du lac. Elles commencèrent à se déplacer autour de lui, en un étrange ballet, et ouvrirent brusquement leurs gueules armées de dents aiguës.

Les poumons d'Ombrage brûlaient, ses yeux le piquaient terriblement et les reflets rouges, de plus en plus vifs, étaient presque douloureux pour sa vue.

Ombrage se retourna et décida que, tant pis pour le médaillon, il ne pouvait rester sous l'eau davantage. Il tenta de remonter à la surface, mais se rendit compte que ses mouvements étaient devenus trop lents et qu'il peinait à garder les yeux ouverts. Le sang martelait ses tempes, douloureusement. Soudain, il n'eut plus la force de bouger et il se laissa aller dans l'eau, comme un poids mort.

Il ne sut jamais exactement ce qui s'était passé ensuite. Il sentit qu'il tombait dans un abîme sans fond, il essaya de se raidir contre le froid, contre la confusion, il lutta, il

rouvrit les yeux tandis que son corps était effleuré par des traînées de lumière rouge, tandis que des dents, voraces et impatientes, frôlaient ses jambes. Il entendit son cœur battre dans sa tête, le sang siffler dans ses oreilles.

Après quoi, tout se mêla, le haut, le bas, ce qui était vrai et ce qui ne l'était pas… C'est sans doute pourquoi Ombrage entendit de nouveau Spica chanter cette petite chanson, l'après-midi où il avait découvert le secret d'Eridanus. Puis il la revit devant elle, avec son visage triste, qui disait : *Revenez vite… tous les deux !* Comme dans un rêve, la voix s'éteignit et, dans les profondeurs obscures du lac, où personne avant lui n'était jamais parvenu vivant, le jeune Elfe entendit un son lointain.

On aurait dit une chanson douce et mélancolique, et elle lui rappela soudain les mille et une raisons pour lesquelles il valait la peine de lutter pour vivre. D'un geste désespéré, il arracha les coraux rouges qui l'emprisonnaient telles des chaînes. Mystérieusement, ils le laissèrent partir et disparurent dans l'obscurité de l'eau. Il chassa aussi les horribles créatures scintillantes qui, lui obéissant presque, se dispersèrent au fond du lac.

Le son était de plus en plus fort, de plus en plus réel et distinct. Était-ce cela qui avait épouvanté les créatures ?

L'esprit confus et palpitant, Ombrage rouvrit ses yeux gonflés et las, et c'est alors qu'il le vit.

Un gros poisson aux écailles dorées s'approcha de lui, vif comme un éclair, le prit sur son dos et l'emmena. En haut… jusqu'à ce que la pression de l'eau diminue, jusqu'à ce que l'air pénètre de nouveau dans ses poumons.

Ombrage toussa, et ressentit la douleur qu'éprouve celui qui revient à la vie après avoir frôlé la mort. Il tourna imperceptiblement la tête et se rendit compte que le poisson le conduisait à la rive.

Le spectacle des roches blanches, aveuglantes dans le soleil du soir, lui arracha une faible plainte. Il eut simplement conscience qu'il était arrivé au Pic Argenté.

Une voix, celle de Regulus, le rejoignit de profondeurs très lointaines, puis quelque chose sur la rive bougea et il perdit connaissance.

Quand Ombrage se réveilla, il gisait sur une surface dure et froide. Le crépitement d'un feu timide parvint à ses oreilles et le rassura. Il entendit les voix de Regulus et de Robinia, et il ouvrit les yeux. Les deux amis discutaient à voix basse, tandis que Soufretin, blotti contre lui, mordillait un morceau de charbon avec des grognements sourds, des bouffées de fumée sortant de ses naseaux.

Un bruit à la surface de l'eau le fit sursauter. Il s'assit avec peine et vit une étrange créature qui sortait du lac et semblait se réjouir de son réveil. C'était le poisson d'or qui lui avait sauvé la vie au fond du lac ! Sur son dos, les écailles dorées reflétaient la lumière du soleil, telle une étoile scintillante.

– Oh, mon ami ! Tu t'es enfin réveillé ! s'écria Regulus,

en sautant sur ses pieds et en se précipitant vers lui, le cœur débordant de joie.

– Tu nous as fait sacrément peur... murmura Robinia.

– Vous allez bien ? Comment avez-vous réussi à vous en sortir ? demanda le garçon.

Sa voix était lasse, mais ses yeux étaient pleins de lumière et les deux amis lui racontèrent leur nage terrifiante jusqu'au Pic Argenté. Ils avaient encore les vêtements et les cheveux pleins de coraux rouges et, comme pour témoigner de leur terrible épreuve, Soufretin éternua tel un chat mouillé. Les jeunes gens éclatèrent de rire et, tandis qu'Ombrage le caressait affectueusement, ils lui racontèrent également qu'ils l'avaient cru mort et comment ce gros poisson d'or était arrivé, le portant sur son dos.

– Que crois-tu que ce soit ? s'enquit Robinia. Comment peut-il survivre dans ce damné lac ?

– Qui sait ? dit Regulus en tendant à manger à Ombrage.

Le garçon esquissa un sourire et déclara :

– Je pense que c'est la Fée Psaltérine.

Regulus et Robinia, stupéfaits, échangèrent un regard.

– La Fée que la Reine Floridiana avait envoyée au secours des Forestiers ? Celle qui disparut mystérieusement

peu avant la chute du royaume ? demanda le garçon. Alors, elle n'est pas morte, comme le disait Brugus…

– Après t'avoir sauvé, elle a également rapporté ceci… dit Regulus en posant devant son ami la boussole de la Reine des Fées.

Ombrage poussa un soupir de soulagement.

Au même instant, le poisson d'or disparut sous la surface de l'eau et, à sa place, une silhouette brillante, mince et élancée émergea. De longs cheveux blonds encadraient son visage et un voile de tristesse transparaissait dans ses grands yeux lumineux.

– Bravo, Audace, tu m'as donc reconnue ! Tes yeux voient loin… aussi loin que ceux de ton père. Ma reine a bien choisi son chevalier courageux s'il est en mesure de découvrir le vrai derrière les trompeuses apparences d'une puissante sorcellerie, déclara-t-elle d'une voix douce et faible. Mais peut-être est-il déjà trop tard… Il me reste peu de temps avant que l'enchantement des Sorcières ne me transforme de nouveau en poisson.

– Comment pouvons-nous t'aider ? demanda Ombrage, inquiet.

Psaltérine sourit, d'un triste sourire.

– Vous ne pouvez rien faire. Voilà des années que je vis ici : j'étais déjà là quand les Abyssaux ont construit la digue et le barrage qui ont empêché le lac de se vider… pour qu'ils puissent y vivre et y chasser selon leurs habitudes. Mais n'aie pas peur : comme tu as pu le constater, les Abyssaux me craignent et n'osent pas m'attaquer… Tes intentions sont nobles, cependant, et elles me donnent confiance dans l'avenir… Écoute-moi attentivement, Audace, parce qu'il ne me reste que très peu de temps. La source que tu recherches est presque tarie et il n'y a pas une seconde à perdre… Elle se situe au sommet du Pic Argenté. Autrefois, l'eau de la Rivière Fée ruisselait sur les pentes du Pic en une cascade d'argent : elle remplissait le lac, qui se vidait en débordant dans la rivière, celle-là même qui est à sec aujourd'hui. Les courants du lac éloignaient les Abyssaux… Et ce sont ces courants qui pourront un jour les chasser.

Elle se retourna, et ses yeux fixèrent avec inquiétude l'obscurité du lac, puis elle reprit :

– Le plus important, c'est que tu trouveras là-bas ce que tu cherches et qui t'indiquera la voie… Ne perds pas l'espoir et utilise ta tête, car toi seul, désormais, pourras nous aider à reconquérir la liberté ! Elle ne le sait pas encore, mais ton succès sonnera le début de la fin pour la Reine Noire. Sans toi, les autres… (Sa voix devint soudain très faible, et ses derniers mots furent à peine audibles…) ne pourront même pas partir. Bonne chance…

Soudain, Psaltérine prit de nouveau l'apparence d'un élégant poisson aux écailles dorées. Son dos se courba en arrière, elle replongea dans les eaux sombres et huileuses du lac et, après un dernier saut, disparut.

27
L'AMPOULE ET L'ÉPÉE

La nuit se dissipa bientôt et l'aube commença à éclaircir le ciel. Les trois jeunes gens n'avaient pu fermer l'œil de la nuit et étaient restés près du feu, plongés dans leurs pensées. Dès que le soleil fut levé, sans dire un mot, ils décidèrent de partir.

Le Pic Argenté était un cône de roche qui s'élevait au-dessus du lac. Un sentier conduisait à son sommet, mais un éboulement avait rendu impraticable le début du chemin à la base du Pic. Ombrage se mit à escalader les rochers pour rejoindre le sentier, suivi de Regulus et de Robinia. Dans les passages les plus difficiles, ils s'aidaient mutuellement.

Il leur fallut toute la matinée pour arriver au sommet. Quand, enfin, ils trouvèrent la source de la Rivesèche, autrefois appelée Rivière Fée, ils étaient exténués.

Dans la roche, ils découvrirent la sculpture d'une figure féminine, grande et fière, mais privée de tête. Elle tenait dans la main droite un coquillage, au bord duquel coulaient très lentement des gouttelettes d'eau cristalline.

De l'autre main, elle tenait une épée. Nul ornement ni décoration ne la parait, elle était terne, recouverte d'une poussière blanchâtre qui laissait penser qu'elle était en pierre. À ses pieds reposaient les restes d'un bassin creusé dans la roche, ébréché et très abîmé.

– Par toutes les étoiles du ciel… une épée ! murmura Regulus en s'approchant pour l'examiner.

– Et la source… on dirait qu'il n'y a pas beaucoup d'eau. Elle est à sec ! observa Robinia en secouant la tête d'un air triste. Peut-être arrivons-nous trop tard.

Ombrage sortit de sa besace l'ampoule de cristal qu'il avait reçue de la Reine des Fées et comprit enfin à quoi elle devait lui servir. Il recueillit les gouttelettes d'eau à l'extrémité du coquillage.

– *Une larme pour le rachat…* répéta lentement Ombrage, se souvenant des lettres gravées sur la tombe de Juniperus. Une seule… suffira !

– J'aimerais bien savoir à quoi ! s'exclama Regulus, guère convaincu.

Robinia attira l'attention des deux garçons sur le bassin sculpté.

– Psaltérine a dit que tu trouverais tout ce qu'il te faut là-haut… et il semble bien qu'il y ait une inscription ici, regardez ! ajouta-t-elle en s'agenouillant au bord du bassin de pierre et en passant le doigt sur le fond.

Ombrage reposa l'ampoule avec précaution et se pencha pour regarder lui aussi. Il ne lui fallut pas beaucoup de temps pour découvrir une inscription en caractères anciens :

L’ampoule et l’épée

une larme pour le raChat,
une épée pOur la liberté,
coUle où Le traîtrE a fauté,
l’audace les rappOrtera.

Une LArme pour le salut
suR les chemins de pierre noirs,
dans la forêt de Brume nue,
l’audace nous Rendra l’Espoir.

alors la tristesse en joie se Muera,
et remportera le combAt,
et pour un cœur vraImenT bon,
poison deviendRa guérison.

la dernière larme sera verséE
et l’éPée sera dégainée
si l’étoile On suit sans tarder.

la chasse enfin sera lancée
jusqu’à ce qUe la sorcière soit blesSée !
arc, épée, oie, dragon S’uniront
et cette horde mortelle vAincront.

Ombrage plissa le front.

– Ça ressemble à ce que nous avons vu sur la tombe de Juniperus… dit-il.

– Peut-être cette inscription cache-t-elle aussi un message ? suggéra Robinia.

Ombrage étudia l'inscription, mais il ne trouva pas de lettres plus profondément gravées que les autres ni de détail qui le mette sur la piste d'un indice.

– Non, je ne vois rien… soupira-t-il.

Il se tut un long moment en passant la main sur le fond du bassin, effleurant l'inscription à la recherche d'autres signes. Enfin, une idée se fraya un chemin dans son esprit. Elle était absurde, mais peut-être les aiderait-elle. Il sortit sa gourde de sa besace et la déboucha.

– Qu'est-ce qui te prend ? Que veux-tu faire ? lui lança Regulus.

– Tu ne vas tout de même pas la gaspiller en la versant là-dedans ? s'inquiéta Robinia. Nous n'en avons pas beaucoup et l'eau du lac n'est pas potable…

– Réfléchissez donc ! Autrefois, une source coulait ici et le bassin servait à recueillir son eau ! s'exclama Ombrage.

Soufretin grimpa en haut de la statue et fixa ses yeux jaunes sur lui.

– Et alors ? répliqua Regulus.

– Peut-être le message a-t-il été écrit quand il y avait encore de l'eau dans la vasque, peut-être est-il prévu que l'indice n'apparaisse que quand le bassin est plein…

– Ça me semble un peu trop compliqué, objecta Robinia. Le message a été écrit quand l'eau coulait mais, alors, il n'avait pas d'intérêt… Alors qu'il en aurait eu dès que l'eau ne coulerait plus. Il aurait donc été beaucoup plus sensé de faire le contraire, vous ne croyez pas ?

– Robinia a raison, soupira Regulus.

– Je ne le crois pas. Le message a été écrit quand il importait peu que quelqu'un le lise ou ne le lise pas, mais en sachant bien que, au moment où le royaume serait tombé sous le joug des Sorcières, un indice évident aurait été dangereux ! Si les Sorcières l'avaient trouvé par hasard, elles auraient pu le détruire… ajouta-t-il, de plus en plus certain de ce qu'il avançait.

Et, sans attendre d'autres commentaires, il versa le contenu de sa gourde dans le bassin. En un clin d'œil, l'inscription fut recouverte d'un voile d'eau.

Les trois jeunes gens se penchèrent pour l'étudier. Robinia déclara :

– Eh bien, on dirait que tu as gaspillé ta réserve d'eau…

– Non ! s'écria soudain Regulus. Regardez ! Certaines lettres… brillent !

Ombrage sourit et poussa un soupir.

– Oui, elles brillent comme si elles étaient recouvertes de cristal… et elles disent…

Il hésita un long moment en reconstruisant l'indice, puis il se redressa.

– Elles disent : *… coule où l'arbre maître poussa.* Si nous mettons cette phrase à la suite de celle qui figurait sur la tombe de Juniperus, nous obtenons un nouvel indice : *Qu'une larme pour le rachat… coule où l'arbre maître poussa.*

Ces mots tombèrent dans le silence.

– Qu'est-ce que c'est que l'arbre maître ? demanda Ombrage, en scrutant la statue avec une attention soutenue, comme s'il espérait qu'elle lui réponde.

– Et où se trouve-t-il ? ajouta Regulus.

Robinia baissa les yeux et s'assit au bord du bassin, contemplant le panorama que l'on découvrait du sommet du Pic Argenté.

– C'est l'un des treize Arbres Sages. Le premier de ces arbres, murmura-t-elle.

Regulus et Ombrage la regardèrent et elle reprit :

– Jadis, les rois n'étaient pas issus d'une famille royale, mais ils étaient choisis parmi le peuple. Dans ce que nous appelons aujourd'hui la Forêt Brumeuse existait une clairière avec treize arbres disposés en cercle. Ceux qui aspiraient à devenir roi passaient toute une nuit assis au milieu des arbres, et l'on raconte que seuls les meilleurs, les plus sages, revenaient. Ceux dont l'âme était prête au sacrifice pour le bon gouvernement du royaume. L'Arbre Maître était le plus vieux des treize arbres, et l'on dit que c'est sur ses racines qu'a été fondé le royaume des Forêts. Mais ce n'est qu'une vieille légende ; c'est ce que nous avons toujours cru, en tout cas… Maintenant, je n'en suis plus aussi certaine…

– Oh ! s'exclama Regulus. Cette inscription nous suggère donc d'aller là-bas, vous ne croyez pas ? La *forêt de brume nue* pourrait être une manière pompeuse de désigner la Forêt Brumeuse dont tu parlais…

Robinia fixa le garçon en écarquillant les yeux.

– C'est l'un des plus anciens lieux du royaume, l'un des plus magiques et des plus mystérieux… Personne n'y va volontiers d'autant que c'est par là, prétend-on, qu'a commencé l'invasion des Sorcières…

– Apparemment, c'est bel et bien là que nous devons apporter la goutte d'eau de la Rivière Fée, dit Ombrage en se relevant.

– Et l'épée ? poursuivit Regulus en fixant l'arme que la

statue tenait dans la main droite. Tu crois qu'il faut également y apporter cette épée ? Je veux dire… cette arme ne vaut pas grand-chose ! murmura-t-il.

– Ce n'est pas l'aspect qui compte… répliqua Ombrage en regardant ses deux amis. *Une larme pour le rachat, une épée pour la liberté.* Cela ne fait aucun doute, je dois également emporter cette épée.

– Le problème, remarqua Robinia, c'est que je ne suis pas vraiment sûre de la route à suivre pour aller dans la Forêt Brumeuse. Il nous faudra des mois pour trouver dans la montagne un passage qui ne soit pas surveillé par les Sorcières et par leurs obscurs serviteurs, et puis…

– As-tu une idée de ce que peuvent être *les chemins de pierre noirs ?* l'interrogea Ombrage.

La jeune fille secoua la tête et le garçon soupira.

– Bon, nous ne pouvons pas faire autrement, de toute façon. S'il faut des mois, nous mettrons des mois.

– Et la boussole de la Reine des Fées ? Qu'indique-t-elle ? demanda Regulus.

Ombrage la sortit de sa tunique et la consulta.

– Ce mur de roche. Ou ce qui se trouve au-delà… ajouta-t-il, peu convaincu.

– Oui. C'est exactement la direction… pour se cogner la tête ! s'exclama Regulus en riant.

D'un geste résolu, Ombrage tendit la main vers l'épée. Il referma les doigts autour de la poignée blanchie par la poussière et, d'un coup, la main de pierre de la statue s'émietta.

C'est alors que le fourreau de pierre qui protégeait l'arme explosa en mille morceaux et qu'une longue épée d'acier, légère et maniable, scintilla dans le soleil de l'après-midi.

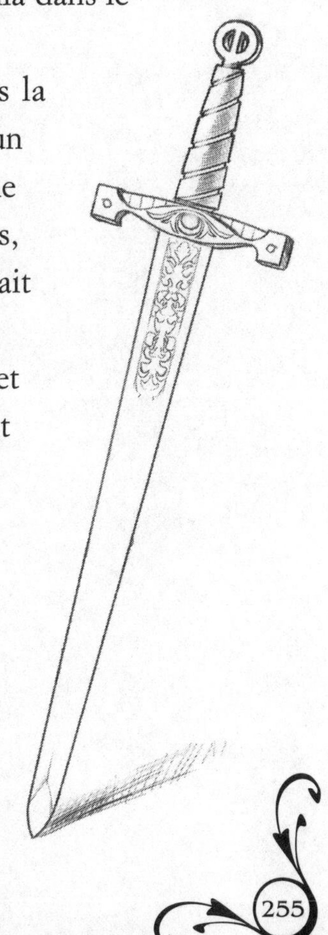

À cet instant précis, un bruit dans la roche fit sursauter les jeunes gens. D'un bond, Soufretin se retrouva sur l'épaule d'Ombrage, tandis que Regulus, craignant un éboulement, poussait Robinia à l'abri d'une saillie rocheuse.

Ombrage, lui, resta immobile et parfaitement serein. Il regarda devant lui, tenant l'épée à la main. Quand le tremblement cessa, le petit Dragon sur son épaule poussa un glapissement sourd et le garçon acquiesça.

– Apparemment, cette direction est la bonne ! Allez, en route !

Regulus et Robinia restèrent

bouche bée. Une porte taillée dans la roche venait d'ouvrir ses battants devant eux.

– Il semble bien que nous ayons trouvé *les chemins de pierre noirs*, murmura Ombrage.

QUATRIÈME PARTIE

NOUVELLE FEUILLE

28
Le Miroir des Hordes

Plus de deux journées s'étaient écoulées depuis que Spica et Stellarius s'étaient mis en route : la jeune fille avait été très surprise de constater qu'ils se dirigeaient vers le Désert du Vent, une région aride sur le flanc des Monts de la Faux d'Argent.

Leur voyage se faisait de plus en plus pénible. Le jour, ils étaient écrasés par un soleil de plomb, et, quand le vent se levait, il soulevait des nuages de terre et des brindilles séchées, si bien qu'il devenait impossible d'avancer. La nuit, le froid était si vif qu'ils claquaient des dents. Les pensées de la jeune fille étaient lointaines. Elle n'arrivait pas à chasser de son esprit le visage sombre et inquiet d'Ombrage lorsqu'il lui avait dit au revoir, et elle ne pouvait penser sans angoisse aux dangers que son frère et lui couraient tandis qu'elle-même ne faisait que traverser un désert.

Elle était absorbée dans ces pensées lorsqu'ils distinguèrent dans le lointain une vieille maison qui se dressait au milieu du désert. C'était donc vrai ! songea Spica. D'anciennes histoires racontaient que dans le Désert du Vent se trouvaient les ruines d'une demeure autrefois habitée par une abominable créature. Certains prétendaient que c'était une Sorcière, d'autres que c'était un Troll ou quelque bête innommable.

La légende rapportait aussi que c'était cette méchante créature qui avait chassé la rivière de la région, la rendant à jamais inhospitalière.

La jeune fille découvrit les ruines comme un mirage lointain, ondoyant, et crut un instant à une hallucination.

– Nous y sommes... Voici la vieille maison, murmura Stellarius d'un air pensif.

Spica la regarda de nouveau et crispa les doigts sur son arc, essayant d'y puiser tout le courage nécessaire pour affronter cette nouvelle aventure. Mais le mage décida qu'il valait mieux s'arrêter pour la nuit avant d'atteindre la vieille maison. Ils se reposèrent, peu et mal. La jeune fille fit un mauvais rêve, un cauchemar pire que celui qu'elle avait fait avant leur départ. Elle avançait dans le brouillard et, soudain, les nuées épaisses s'ouvraient, dévoilant une gigantesque porte de roche blanche. À l'intérieur, l'obscurité était profonde et engendrait un sentiment d'oppression. Toutefois, quelque chose la poussait à entrer, mais, tandis qu'elle faisait un pas en avant, le terrain se dérobait sous ses pieds. Elle tombait et tombait encore, le souffle coupé, dans l'obscurité froide de grottes et de galeries sans fin… Et, tout au long de cette chute effroyable, des sons stridents, des flammes jaillissantes et des éclairs de lumière violacée lui blessaient les yeux, le visage, le dos… puis ce furent des grondements féroces… Elle eut la certitude qu'elle allait mourir, elle poussa un gémissement de terreur et, brusquement, quelqu'un la saisit par les épaules et la secoua énergiquement. Spica trembla et ouvrit les yeux.

Stellarius l'observait. Puis il détourna les yeux.

– As-tu confiance en ton frère et en Ombrage ? lui demanda soudain le mage, sur un ton qui lui interdisait toute dérobade.

– Je… (Spica balbutia et passa une main dans ses cheveux humides de sueur froide, essayant de se reprendre.) Oui… oui. Simplement, j'ai peur, murmura-t-elle enfin.

– La peur est une bonne chose, quand elle n'empêche pas de prendre des décisions. Quelque chose de profond te lie à ces garçons et te transmet leurs pensées. Leurs peurs, peut-être. Des échos de ce qu'ils vivent… L'esprit et le cœur forment une étrange combinaison, jeune fille.

Mais tu ne peux pas penser à cela. Pas maintenant, non.

Ils se turent un long moment, puis Spica demanda :

– Sommes-nous proches, maintenant ? Quand repartirons-nous ? Et comment ?

Stellarius la regarda de nouveau, les yeux brillants de fermeté et de reproches.

– À cause de ta bravade dans la grotte, ils savent maintenant que tu les vois. Les Crépusculaires ne sont pas des chauves-souris normales.

– Dans ce cas, comment pourrons-nous nous approcher du Miroir ?

– La lumière de cristal émise par mon bâton nous rend invisibles à leurs yeux. Demain matin, nous nous approcherons aussi près que possible. Nous laisserons les Crépusculaires se disposer autour du Miroir des Hordes, et nous attendrons que l'enchantement des Sorcières soit proche de s'accomplir… Avant d'agir, je dois observer ce qui se passera, expliqua Stellarius, le regard perdu dans le lointain. Mais, pour le moment, donne-moi ton arc.

– Comment cela ? Pourquoi ?

– Que de questions inutiles ! Comme tu l'as vu, un arc banal ne sera pas d'une grande utilité. Il lui faut une petite révision !

Stellarius lui fit un clin d'œil et Spica lui tendit son arc.

Le mage le soupesa, concentré, puis dévida une petite pelote de fil doré. Avec habileté, il enroula le fil autour du bois recourbé en un réseau très serré. Puis il l'entrelaça à la corde et termina par un double nœud. Il vérifia son travail avec soin et poussa un soupir de satisfaction.

– Et voilà, dit-il en brandissant l'arc de Spica. Désormais, ce n'est plus un arc comme les autres, mais une arme très puissante. Une arme enchantée. Prends-en soin. Elle sera plus résistante que le métal et plus flexible que le bois. En outre, elle trompera tes ennemis, qui auront du mal à la distinguer quand tu l'empoigneras. Maintenant, tu es prête ; chaque flèche que tu encocheras sur cet arc foncera droit sur l'ennemi et l'anéantira. Mais il faudra que ce soit toi qui frappes, toi qui décides quand et comment le faire. À présent, dors, tu as besoin de repos !

Spica reprit son arc et l'examina en écarquillant les yeux. Il était plus léger et le bois n'avait plus l'air d'être usé. Il était d'une matière qui ressemblait désormais à du métal, brillant, et la poignée paraissait même finement ciselée. « C'est une arme enchantée, se dit la jeune fille. Serai-je digne de m'en servir ? »

Le soleil se leva lentement, et Stellarius réveilla Spica avant l'aube. Il avait le visage tendu et elle eut l'impression que dans son esprit s'entrechoquaient des craintes qu'il taisait, mais elle n'osa rien demander. Quand le mage lui fit signe de le suivre, elle se leva et obéit.

Elle se rendit compte que la maison du désert était plus proche qu'elle ne l'avait cru la veille au soir. C'était une vieille masure délabrée : le toit en forme de coupole s'était effondré et la maison était entourée d'un cercle de pierres blanches. De maigres buissons épineux poussaient au bord d'un trou aux contours irréguliers, qui, autrefois, avait dû être un puits et qui ne contenait plus que de l'eau boueuse.

Il fallut quelques secondes pour que Spica assimile ce que ses yeux voyaient… Un groupe de Crépusculaires entouraient le Miroir d'eau boueuse. Ces horribles créatures étaient massées les unes contre les autres, pour former un cercle noir et grouillant.

La jeune fille serra les dents, proche de la nausée, et empoigna son arc, puis elle regarda Stellarius, dans l'attente de son signal.

Le mage fit un pas en avant. Tandis que, sous leurs yeux, le cercle des Crépusculaires se refermait autour du puits, quelque chose frémit et Spica leva les yeux. Elle distingua l'une des créatures obscures qui montait dans le ciel, survolait le puits, quelque chose dans les pattes.

Pendant un long moment, Stellarius et Spica retinrent leur respiration, puis, soudain, le mage comprit le secret du Miroir des Hordes. Ses yeux luisirent d'un éclat féroce et il s'élança en criant :

– Ce Crépusculaire a une pierre entre les griffes : le catalyseur ! Il ne doit surtout pas toucher la surface de l'eau !

Tandis que Stellarius commençait à exercer sa magie contre les Crépusculaires, faisant jaillir de la terre des nuages d'éclair, Spica brandit son arc. Ses yeux se focalisèrent sur la créature qui volait, seule, dans le ciel, et ne vit plus rien autour d'elle.

Un instant et…

… la flèche partit.

Un éclair zébra le ciel à l'instant où la flèche atteignit sa cible.

Le Crépusculaire poussa un cri de rage et s'enflamma, tache obscure sur le ciel clair.

Spica n'avait pas prévu ce qui se passa alors. La pierre que la chauve-souris avait tenue dans ses griffes tandis qu'elle était en vol, celle que Stellarius avait appelée le catalyseur, tomba brusquement selon une trajectoire oblique, inattendue.

La jeune fille comprit trop tard où elle allait atterrir : sur le Miroir d'eau boueuse au bord duquel grouillaient les horribles Crépusculaires.

Spica s'élança, pendant que Stellarius se battait contre des nuages de chauves-souris rouges et hurlantes.

Tout s'enchaîna en un éclair.

Le catalyseur tomba dans l'eau et un tourbillon noir menaçant se mit à bouillonner, tandis qu'un éclair de lueur maligne jaillit tout autour.

Ce fut exactement à cet instant que Stellarius se tourna vers le Miroir des Hordes. Ses yeux furent frappés par la lumière violacée qui tournoyait au centre de l'eau bouillonnante : il était trop tard !

L'eau tournoya en murmurant, puis, soudain, un monstre grondant à la gueule ouverte bondit hors du Miroir.

Spica poussa un cri et bascula en arrière ; Stellarius

hurla quelque chose, et il sembla que tout se dissolvait en un éclair qui colorait le ciel en rouge.

La lumière rouge lutta contre la lumière violacée et s'épuisa dans un souffle scintillant au-dessus du Miroir, mais l'hideuse bête ne disparut pas. Au contraire, elle gronda plus fort.

– Réveille-toi, jeune fille ! rugit Stellarius en brandissant son bâton.

Comme frappée par une main géante, l'énorme bête fut jetée de côté, le temps que Spica puisse réagir. Tout en essayant de maîtriser le tremblement de ses mains, la

jeune fille serra les doigts sur son arc, le leva et encocha rapidement une flèche. Ses yeux suivirent la ligne de la pointe aiguisée et, dans un sifflement léger et fatal, la pointe de métal jaillit, auréolée d'une lumière argentée. Elle s'enroula dans l'air et frappa le monstre qui se jetait sur elle. Le coup le renversa avec un bruit sourd. Brusquement, tout redevint calme.

Stellarius s'approcha lentement de la bête et la toucha du bout de sa canne pour s'assurer qu'elle était bien morte. Puis il acquiesça.

– Des Loups-Garous... Les habitudes des Sorcières n'ont guère changé avec le temps : elles s'entourent toujours de créatures délicieuses... murmura-t-il d'un ton sarcastique, pendant que Spica se relevait, tremblante.

La jeune fille hésita un long moment, avant de tourner les yeux vers le Miroir des Hordes.

– Il s'est refermé ? Comment est-ce possible ? Je croyais que...

Stellarius eut un sourire sinistre et tendit son long bâton, pour que la jeune fille voie ce qui y était accroché : un très fin ruban auquel était attachée une pierre.

– Enlève le catalyseur et la porte se refermera. Cela fonctionne exactement comme pour les entrées créées par les Fées... Ce catalyseur, je le connais. C'est la pierre d'un vieux Portail, de l'un des premiers royaumes qui ont été perdus… Tu vois ? c'est une turquoise… soupira-t-il en lançant la pierre à Spica.

Elle l'attrapa et la regarda longuement.

– Elle est noire… remarqua-t-elle sans comprendre.

– Oh, oui. Elle est sale et usée. Mais sa forme de losange est caractéristique, et tu ne crois tout de même pas qu'un tel catalyseur, tombé aux mains des Sorcières, puisse en sortir autrement que noirci et usé ? Maintenant, je sais comment la Reine Noire ouvre les Miroirs des Hordes. Elle utilise les pierres qu'elle a volées dans les royaumes qu'elle a conquis, elle détourne leur magie et en fait des catalyseurs obscurs qui lui permettent d'ouvrir ces miroirs. Je dois prévenir sans tarder tous les royaumes limitrophes des Terres Obscures !

29
LES CHEMINS NOIRS

Regulus observa l'éboulis de roches amoncelées dans le cadre de la porte.

– On dirait une caverne… Mais je ne comprends pas, nous sommes au sommet du pic, comment allons-nous pouvoir atteindre la Forêt Brumeuse dont parle Robinia ?

– Peut-être y a-t-il un sentier qui descend… suggéra la jeune fille en suivant Ombrage.

Le garçon avait toujours l'épée à la main, les doigts serrés sur la garde. Il hésita un instant, regarda autour de lui, puis prit une torche éteinte dans un support en forme de griffe qui était accroché à la paroi rocheuse.

– Soufretin, pourrais-tu… ? dit Ombrage en s'inclinant devant le Dragon à plumes perché sur l'épaule de Robinia.

La bête souleva ses ailes minuscules et entrouvrit les yeux.

– *Pouff !*

Deux petites traînées de flammes sortirent de ses naseaux et allumèrent la torche.

Une chaude et incertaine lueur éclaira l'endroit où les jeunes gens se trouvaient et Regulus se rendit compte qu'il avait failli mettre un pied dans le vide. Il fit un pas en arrière en poussant un cri étranglé et se cogna contre Ombrage.

– Eh bien, dit-il à l'intention de Robinia, voilà qui répond à notre question. Nous sommes au sommet de la montagne, il ne nous reste plus qu'à descendre…

– Oui, mais je suis sûre que le but de ceux qui ont construit tout cela n'a pas été de faire tomber qui que ce soit, commenta Robinia. Seuls les nigauds ne regardent pas où ils mettent les pieds, n'est-ce pas ?

– Que veux-tu dire ? soupira Regulus.

– Si tu avais allumé une torche avant de t'aventurer dans un endroit obscur et inconnu… rétorqua la jeune fille.

– Mais écoutez-la donc…

Ombrage sourit en les entendant se chamailler une fois de plus et, brandissant la torche, il éclaira la cavité dont la voûte se perdait dans les hauteurs.

– Qu'est-ce que c'est que ce truc ? demanda-t-il.

Les flammes éclairaient de petits grumeaux noirs au plafond et d'épaisses toiles d'araignée pendaient autour de ce qui ressemblait à une corde. Soudain, les grumeaux noirs bougèrent confusément et Robinia cria :

– Couchez-vous !

Les jeunes gens se jetèrent à terre, évitant un nuage de chauves-souris noires qui sortit en hurlant par la porte ouverte derrière eux.

– Eh bien, voilà la réponse à ta question, frérot, soupira Regulus en se relevant. Est-ce les mêmes chauves-souris qui sont sorties quand nous avons ouvert le Portail du royaume perdu ?

– Non. Celles-là étaient rouges… murmura Ombrage en regardant de nouveau le plafond.

– Je vois une sorte de corde. Et, là-haut, c'est peut-être une poulie… constata Robinia, qui alla prendre deux autres torches, les alluma et en confia une à Regulus.

– Que veux-tu faire ? s'enquit-il anxieusement, tandis que la lumière des torches conférait à la grotte un aspect plus lugubre encore.

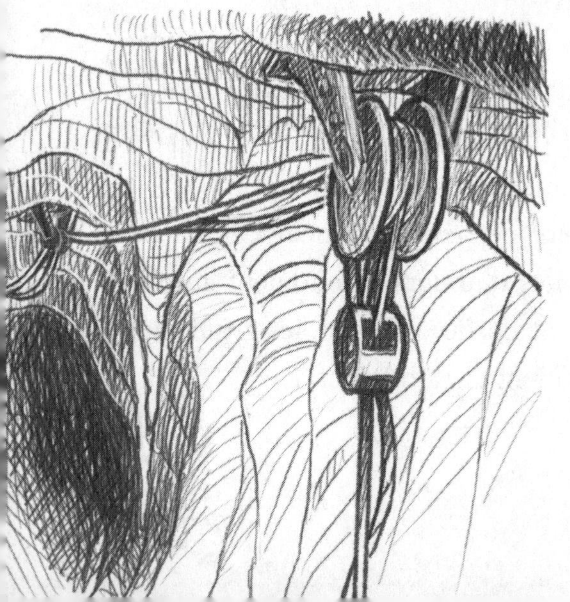

– Si c'est vraiment un système de poulies, je veux comprendre comment on peut les actionner, répondit Ombrage en étudiant les pierres autour du gouffre obscur.

– Tu penses que nous

pourrions descendre par ce moyen ? demanda Robinia en regardant en bas.

Soufretin émit un gargouillis incertain.

– Peut-être… répondit Ombrage.

– Attention où vous mettez les pieds ! dit Robinia.

Au même instant, Regulus marcha sur une pierre au bord du précipice. Il entendit un craquement et la pierre commença à s'enfoncer dans le sol.

– Oups… fit-il en baissant les yeux pour voir sur quoi il avait posé le pied.

Un bruit métallique retentit et la corde se mit à bouger toute seule.

Avec un cri d'effroi, Robinia poussa Regulus de côté, si fort qu'il tomba par terre.

La corde s'immobilisa.

– Qu'est-ce qui te prend, Robinia ? cria-t-il en se relevant.

Robinia, blanche comme un linge, baissa la tête et murmura :

– Ça pouvait… ça pouvait être un piège !

Regulus souffla.

– C'est possible ! Mais j'aimerais bien savoir s'il n'y a pas d'autre moyen de me sauver la vie que de me jeter à terre !

– Peut-être que si tu étais un peu plus prudent… marmonna la jeune fille, froissée.

– Ne me dis pas que tu te fais du souci pour moi ! répliqua le garçon.

Ombrage interrompit cette nouvelle chamaillerie avant que la jeune fille ait eu le temps de répondre.

– Regardez, il y a une étoile, là, sur la pierre où Regulus a posé le pied ! observa le garçon.

– Et alors ? Qu'est-ce que ça veut dire ? demanda Robinia en laissant Regulus quelques pas derrière elle.

– Eh bien, à dire vrai, je ne sais pas si nous devons nous réjouir de voir cette étoile… Enfin… qu'est-ce que c'est ? grommela Regulus, en s'approchant à son tour.

– Je ne sais pas… murmura Robinia.

– La devinette gravée au fond du bassin ne dit-elle pas : *l'épée sera dégainée si l'étoile on suit sans tarder* ? intervint Ombrage.

– Tu as raison, acquiesça Regulus, nous devons donc suivre cette étoile pour aller là où mènent *les chemins de pierre noirs*…

La jeune fille se mordilla la lèvre inférieure.

– Je ne pense pas que ce soit une bonne idée de passer par là.

– Nous sommes prévenus. Nous serons prudents, déclara Regulus.

– Bon, eh bien, étant donné que tu as décidé, allons-y. Inutile de perdre plus de temps !

Ombrage acquiesça et pesa du pied sur la pierre étoilée. Un nouveau grincement retentit et, suspendue au bout d'une corde épaisse, une nacelle de bois descendit du plafond : elle devait conduire les jeunes gens au fond du précipice.

– Fantastique… marmonna Regulus. Comment être sûr que la corde tiendra ?

– Nous ne pouvons pas le savoir, dit Ombrage. Nous descendrons donc l'un après l'autre, ajouta-t-il en faisant un pas en avant.

– Oui, s'exclama Robinia, et c'est moi qui commence.

– Et s'il y a un danger quelconque en bas ? répliqua Regulus, inquiet.

– C'est bien pour cela que je dois y aller. Je suis la seule à ne pas être indispensable. Apparemment, Ombrage a été choisi pour cette mission et tu dois l'aider. Et puis j'ai Soufretin avec moi… ajouta la jeune fille en faisant passer le Dragon de l'épaule d'Ombrage sur la sienne. En plus, je suis la plus légère ! s'exclama-t-elle en montant dans la nacelle d'un pas décidé.

La nacelle oscilla dans l'obscurité et Robinia s'agrippa au rebord.

– Fais attention ! conseilla seulement Ombrage.

Il retira son pied de la pierre.

La nacelle resta suspendue dans le vide, puis la poulie se mit à tourner et Robinia descendit si rapidement qu'elle ne put retenir un cri d'horreur, dont l'écho s'évanouit entre les parois rocheuses.

La lumière de sa torche faiblit, puis ce ne fut plus qu'un point lointain qui finit par s'éteindre.

– Robinia ! appela Regulus, en se penchant anxieusement au-dessus du vide.

Il n'entendit qu'un écho lointain et, quelques instants plus tard, un silence absolu.

Sans qu'Ombrage ait fait aucun geste, la poulie tourna en sens inverse et la nacelle remonta. Ce fut au tour de Regulus de descendre, et enfin à celui d'Ombrage.

La descente fut rapide et terrifiante.

Le jeune Elfe vit passer au-dessus de sa tête des enchevêtrements de poulies et de cordes, aperçut des grilles fermant des galeries et d'énormes araignées grises. Enfin, la nacelle ralentit brusquement et s'immobilisa.

Regulus et Robinia étaient encore en train de se chamailler, tandis que leur torche était réduite à de misérables tisons. Ombrage descendit de la nacelle, prit deux nouvelles torches et fit monter Soufretin sur son épaule. Puis il jeta un rapide coup d'œil autour de lui.

– Je crois vraiment que ces deux-là auraient besoin d'être un peu seuls, murmura le garçon.

– *Snort !* remarqua le petit Dragon dans un nuage à l'odeur de soufre.

Ombrage sourit.

– Je regrette vraiment de les avoir conduits ici… mais, si tu allumes cette torche, nous pourrons avoir une idée de l'endroit où nous sommes.

Soufretin obéit sans se faire prier et une lumière chaude et tremblante éclaira bientôt les lieux.

Ils se trouvaient dans une galerie aux parois de briques, qui rappelait le couloir d'une vieille maison.

– Mais où avons-nous atterri ? marmonna Regulus.

– Ah, ce n'est pas à moi qu'il faut demander cela ! remarqua Robinia.

– C'est pourtant ce que j'allais faire, répliqua-t-il. N'es-tu pas la spécialiste ?

Ombrage échangea un autre regard avec Soufretin et, d'un air plutôt agacé, le Dragon cracha une petite boule de fumée puante.

– Quoi qu'il en soit, je dirais que nous sommes sur la bonne route, déclara la jeune fille en faisant quelques pas dans la galerie.

– Ah bon ? répondit Regulus, ironique.

Le sol était orné d'une mosaïque représentant une grande étoile.

Le garçon soupira et se corrigea aussitôt.

– Ah oui !

Ombrage sourit et se demanda pourquoi cette étoile lui rappelait Spica. Il chassa cette pensée et, rassemblant tout son courage, mit ses compagnons en garde :

– Soyons prudents, nous ne savons pas ce qui nous attend. Regardez autour de vous…

Et il dégaina son épée scintillante.

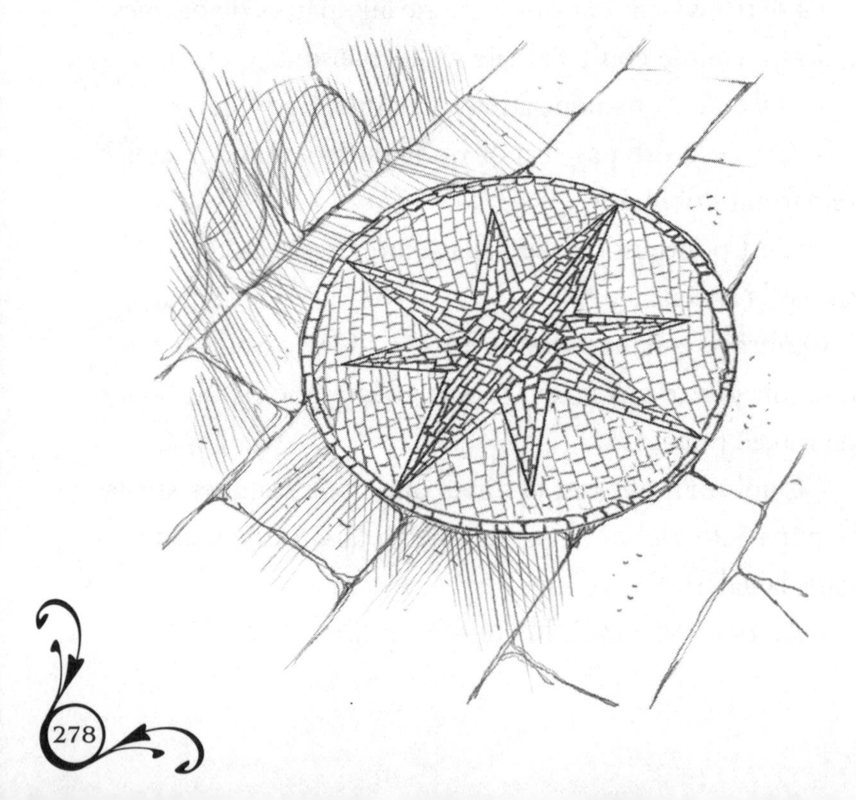

30
POISON

Pendant trois longues journées, les jeunes gens marchèrent dans l'obscurité, suivant les étoiles qui apparaissaient sur leur chemin. Parfois, elles étaient petites et dénuées de fioritures, simplement gravées dans la roche nue ; d'autres fois, au contraire, c'étaient des mosaïques d'un merveilleux ouvrage, avec des tesselles d'or ou d'émail coloré.

Ainsi, guidés par Ombrage et assaillis de mille doutes, ils traversèrent des labyrinthes sinistres et compliqués, mais aucune véritable menace ne se présenta à eux.

Aucune, sinon le manque d'eau.

Au milieu du quatrième jour, la galerie cessa de descendre et recommença peu à peu à monter. Or ils n'avaient toujours pas trouvé d'eau et leurs réserves étaient à présent épuisées.

– Bon sang, si nous ne sortons pas bientôt de cette galerie, ça va mal finir pour nous… murmura Regulus en secouant sa gourde désespérément vide.

Ils avaient presque terminé leurs provisions, mais ce problème-là leur semblait moins grave.

Les jeunes gens reprirent leur route, exténués, affamés, assoiffés, n'obéissant qu'à l'étrange force qui animait Ombrage, malgré tous ses doutes et ses peurs.

– Pourquoi te fais-tu appeler comme cela ? Ombrage, je veux dire… demanda brusquement Robinia dans le silence inquiétant de la galerie.

L'écho de sa voix se mêla au bruit de leurs pas.

– Et toi, pourquoi t'appelles-tu Robinia ? Quelle drôle de question ! lui reprocha Regulus.

– Mon nom est Robinia. Le sien, c'est Audace. N'est-ce pas ? répliqua la jeune fille.

Regulus soupira avec condescendance.

– Elle a faim, dit-il en regardant son ami, elle pose toujours des questions insensées quand elle a faim.

– Bah, toi tu les poses quand tu n'as pas faim ! lui rétorqua-t-elle.

Ombrage n'avait pas envie de discuter, et il répondit simplement :

– À la maison, on m'a toujours appelé comme ça !

« À la maison », pensa-t-il avec nostalgie.

– Tu ne te souvenais pas de ton vrai nom ? poursuivit la jeune fille, intriguée.

– Oh, si, il s'en souvenait ! intervint Regulus.

– Alors je ne comprends pas… répondit Robinia.

– Il ne me plaisait pas. Je n'ai jamais été… audacieux !

– Tandis que tu es ombrageux, n'est-ce pas ? sourit-elle.

– En effet. Pour nous, Elfes Étoilés, c'est quelqu'un qui ne rit pas beaucoup, un boudeur, quoi ! ajouta Regulus.

– C'est donc une sorte d'insulte ?

– Non. C'est seulement un nom qui me convient mieux, expliqua le garçon, patient, en se retournant pour scruter l'ombre.

– Qu'y a-t-il ? demanda la jeune fille.

– Rien… répondit Ombrage.

Il avait cru entendre un bruit étrange, mais il préféra ne pas alarmer inutilement ses amis, qui étaient déjà assez nerveux. Ils poursuivirent donc leur chemin.

– C'est la première fois que j'y pense, mais c'est bizarre, tu sais… poursuivit Robinia au bout d'un moment.

– Quoi donc ? soupira Regulus.

– Nous autres, Forestiers, nous avons toujours eu des noms d'arbres ou d'arbustes, de même que les Étoilés ont des noms d'étoiles, de planètes et de constellations… Sa mère s'appelait Acacia, par exemple. Mais lui et son père avaient des noms différents : Cœurtenace et Audace… murmura-t-elle, songeuse.

– En plus, ça rime ! dit Regulus en éclatant de rire.

– On raconte que Cœurtenace venait d'un royaume lointain… ajouta-t-elle.

Regulus continua de ricaner, mais son rire s'étrangla quand la lumière de sa torche se mit à vaciller sinistrement. Un courant d'air frais et humide les enveloppa.

– Hé ! C'est de l'air ! l'air de l'extérieur ! s'exclama Robinia, stupéfaite.

Ombrage l'arrêta avant qu'elle ne se mette à courir. La lumière de sa torche éclaira une vaste salle, sur laquelle donnaient d'innombrables arcades de briques blanches. Au sommet de chaque arc était sculptée une étoile de couleurs, de matériaux et de dimensions différents.

Les jeunes gens restèrent immobiles.

– Et maintenant ? gémit Robinia.

– Nous ne pouvons pas nous permettre de nous tromper de route, maintenant que nous sommes à un pas de la sortie… murmura Regulus.

– Regardez ! Blanche, rouge, dorée, avec des rayons, sans rayons… L'un de vous a-t-il une idée de l'étoile qu'il nous faut suivre pour sortir de là ?

Découragés et trop fatigués pour avoir les idées claires, les jeunes gens s'assirent et décidèrent de manger leurs dernières provisions. Ce fut le repas le plus triste qu'ils aient jamais pris. Et le sommeil qui s'ensuivit fut troublé par des cauchemars confus.

Pendant que Regulus et Robinia dormaient, Ombrage eut cependant le temps de réfléchir en paix. L'air frais paraissait provenir également de toutes les galeries, si bien qu'il semblait n'y avoir aucune solution à la devinette qui continuait de lui tournoyer dans la tête. S'il leur fallait vraiment continuer de suivre l'étoile… laquelle choisir à présent ?

C'était un véritable casse-tête.

En plus, il percevait de temps à autre un bruit bizarre derrière l'une des portes.

Ombrage observa Soufretin, qui dévorait l'une des vieilles torches réduites en cendre, et soupira. « Lui au moins, il a de quoi manger », pensa-t-il en levant les yeux vers les arcades, tandis que son estomac affamé produisait des gargouillis.

C'est alors qu'il nota une différence.

L'une des arcades ne portait pas d'étoile, mais un signe différent. Le jeune Elfe s'approcha. Il s'agissait d'un simple bas-relief. Peut-être un autre indice… Il s'agissait d'une épée. De son épée.

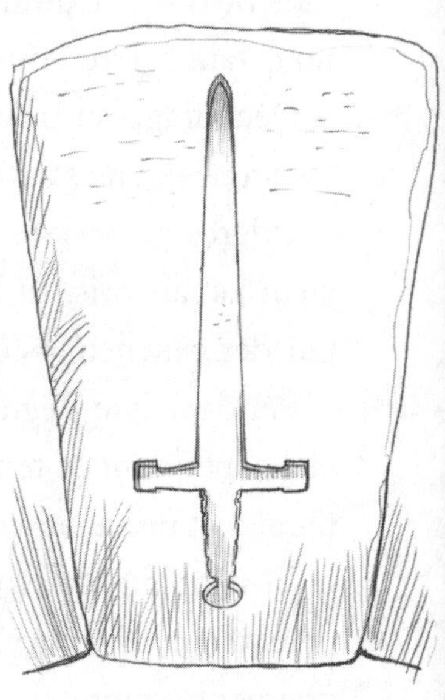

Soudain, il se rappela ce qui était marqué dans le bassin de pierre, et il comprit.

– *La dernière larme sera versée*, répéta-t-il lentement, *et l'épée sera dégainée, si l'étoile on suit sans tarder…*

Oui. L'épée, c'était elle, sûrement, la solution de l'énigme ! Après avoir suivi l'étoile, il fallait maintenant dégainer l'épée.

Il sentit Soufretin s'agripper à son pantalon et monter rapidement sur son épaule. Les yeux jaunes du Dragon à plumes sondaient l'obscurité.

– Oui, mon ami. Nous allons devoir passer par là, dit le garçon en soupirant.

Il attendit que Regulus et Robinia se réveillent, quelques heures plus tard, pour les informer de sa découverte. Les trois amis s'approchèrent alors du seuil de la porte qu'ils allaient devoir franchir.

– As-tu une idée de ce qu'il y a derrière cette porte ? À part la Forêt Brumeuse, je veux dire… murmura Regulus, inquiet.

– Je n'en ai pas la moindre idée. Allumez toutes les torches qu'il nous reste et tenez-vous derrière moi, vos armes à la main. On ne sait jamais ce qui pourrait se cacher là, répliqua Ombrage.

– Il ne devrait rien se passer. L'histoire de l'épée dégainée doit être un indice de plus pour sortir de là. Rien d'autre, dit Robinia d'un air un peu hautain.

– Eh bien, excuse-moi, mais je me sentirai mieux quand j'aurai quitté cette grotte pour de bon, marmonna Regulus en bandant son arbalète. Et entier, de préférence !

Ombrage attendit que Robinia ait fait de même avec son arc, puis il dégaina son épée.

Le garçon s'engagea sous l'arcade que désignait l'épée. Il avança en brandissant la torche et en se montrant plus sûr de lui qu'il ne l'était. Cette nouvelle galerie était plus étroite que les autres. Ils la suivirent et débouchèrent dans une vaste grotte plongée dans l'obscurité.

Une lueur lunaire filtrait par une fente dans la roche au fond de la salle, et cette découverte rassura les jeunes gens. Robinia poussa un soupir de soulagement et s'élança en avant. Elle se rendit compte trop tard de la nature de l'endroit où ils venaient de pénétrer. La lumière de sa torche éclaira le sol : il était jonché d'ossements, tel un gigantesque cimetière.

La jeune fille hurla, et un autre cri, strident, cruel, lui répondit en écho.

Ombrage eut à peine le temps de distinguer une forme qui se mouvait très vite dans l'obscurité, quand Robinia trébucha, tomba et lâcha sa torche. Regulus se précipita vers elle et le cri se répéta.

Regulus agita sa torche pour dissiper les épaisses ténèbres. Ombrage distingua alors un horrible scorpion géant qui s'avançait, tendant son dard venimeux et secouant ses gigantesques pinces en direction de ses compagnons, comme pour les hypnotiser.

Regulus poussa un cri étranglé et décocha un trait à l'aveuglette, mais il fut renversé si violemment par une pince qu'il alla rouler par terre.

Le scorpion eut un grognement de triomphe et avança avec une telle rapidité qu'Ombrage eut peur de ne pas avoir le temps de se mettre à l'abri. Secouant sa torche

pour éloigner le monstre, le Forestier courut sur le sol tapissé d'ossements pour aller s'interposer entre ses amis et le monstre. Quand sa torche, frappée par une pince du scorpion, fut brusquement réduite en miettes, il s'écria :

– Maintenant !

Soufretin, sur son épaule, cracha une bouffée de flammes verdâtres. Le scorpion émit un bruit aigu et agita son dard d'un air menaçant, mais une nouvelle bouffée de feu l'obligea à reculer. Ombrage jeta un coup d'œil sur ses amis et ordonna :

– Vite, sauvez-vous !

Robinia aida Regulus à se relever et ils se précipitèrent tous deux vers la sortie.

Ils débouchèrent dans une forêt bruissante, au cœur de la nuit.

– Ombrage ! appela Regulus.

Mais le scorpion avançait, furieux, bien décidé à ne pas laisser échapper

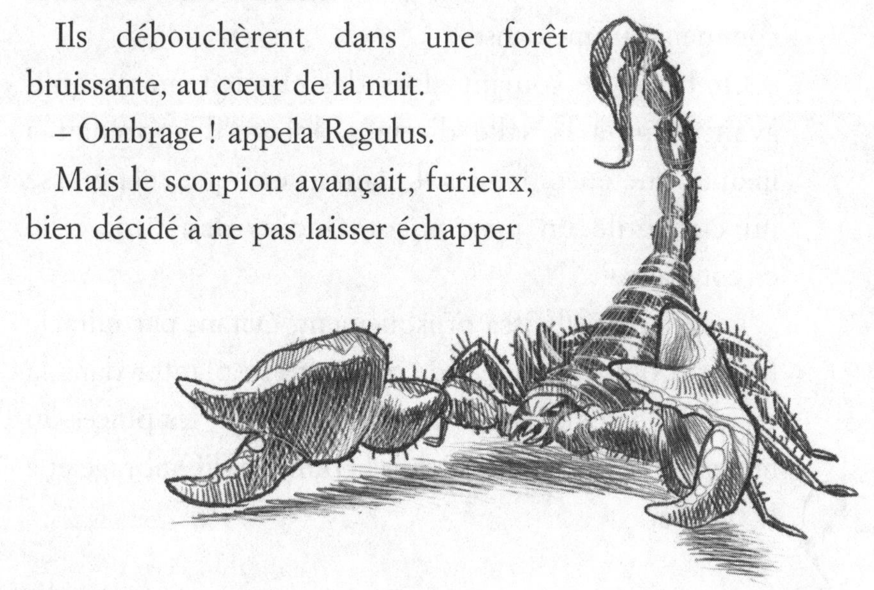

la dernière de ses proies. Il se dirigea rapidement vers la fente dans la roche, obstruant l'issue.

Ombrage entendit les cris étouffés de ses amis et Soufretin essaya de cracher une nouvelle flamme, mais il ne sortit de ses narines que des étincelles qui tournoyèrent en l'air comme des étoiles filantes.

Regulus et Robinia visèrent le monstre avec leurs armes, mais les flèches ricochèrent en se brisant sur sa noire carapace.

Le scorpion chargea et Ombrage songea que son voyage allait s'arrêter là.

Au même moment, son instinct le poussa en avant. Le dard venimeux du scorpion oscilla au-dessus de sa tête comme pour une danse.

Ombrage se souvint alors des enseignements qu'il avait reçus à la salle d'armes, lorsqu'il apprenait à manier une épée. Jamais il n'aurait cru que cela puisse lui être utile un jour, encore moins dans une telle circonstance…

Le garçon se baissa brusquement, évitant par miracle le dard, qui brassa le vide avant de se planter dans la couche d'ossements sur le sol. Cependant, les pinces du monstre parvinrent à arracher la tunique d'Ombrage et à le blesser.

Le garçon ne se laissa pas distraire et, dans un élan de courage désespéré, il fit tournoyer son épée en l'air et, se jetant sur la queue du monstre, la coupa en deux.

Ce fut un hurlement assourdissant : un flot de venin gicla de la blessure, ternit l'acier luisant de l'épée d'Ombrage, coula sur sa main, sur son dos.

Le scorpion tituba, furieux, et parvint à décocher un coup si violent qu'il fit rouler le garçon dans les ossements. Puis il se rua sur lui avec la fureur d'une bête assoiffée de vengeance, et, de nouveau, Ombrage pensa que son heure avait sonné.

Au milieu des squelettes des victimes du monstre, le cœur battant la chamade tant son désir de vivre était fort, et sa tête vibrant de douleur, Ombrage sentit soudain un feu éclater dans sa poitrine. Oubliant le danger, sa peur et son désespoir, le jeune Forestier se retourna à temps pour diriger son épée contre son agresseur.

L'abdomen du scorpion se tendit dans l'assaut et Ombrage fit alors ce que son maître d'armes lui avait appris.

« Cherche le défaut de l'armure et laisse glisser la lame de l'épée », disait son maître d'une voix sévère.

Ce fut un éclair.

L'énergie du désespoir lui fit plonger sa lame jusqu'à la garde dans le corps du scorpion, qui se déchira comme une étoffe légère.

Le cri du monstre fut la dernière chose qu'entendirent ses oreilles.

Puis l'obscurité l'enveloppa.

31

LA FORÊT BRUMEUSE

Pendant quelques instants, Ombrage crut voir Spica assise sous les arbres, le visage entre les mains.

Le soleil était haut dans le ciel, l'air humide et frais. Quelqu'un avait soigneusement bandé la blessure qu'il avait au bras, et les éclaboussures de poison sur sa main et à son épaule lui faisaient moins mal.

– C'est ma faute… Si je n'avais pas été aussi pressée d'atteindre la sortie… si je n'avais pas laissé tomber ma torche… se lamentait la jeune fille.

Ombrage tourna la tête. Non, ce n'était pas Spica.

Ombrage reconnut Robinia et vit les larmes qui coulaient sur son visage.

– Arrête. Il est toujours en vie ! Et puis le scorpion nous aurait attaqués de toute façon, dit Regulus, d'une voix douce, en la regardant dans les yeux.

– Oui, mais… marmonna-t-elle.

Ombrage fit un effort et s'assit par terre. Soufretin émit un sifflement de joie et le garçon le caressa lentement.

– Regulus a raison… murmura-t-il. Mais vous, vous allez bien, au moins ?

Durant quelques secondes, les deux amis restèrent immobiles, puis Robinia éclata en sanglots encore plus violents, de soulagement cette fois ! Regulus alla embrasser son ami, puis recommença à se moquer de Robinia.

– C'est la seule façon que j'ai trouvée pour qu'elle arrête de pleurnicher ! chuchota-t-il en adressant un clin d'œil à son ami.

Ombrage ne put retenir un sourire devant leurs chamailleries. Autour de lui, des bancs de brouillards denses et gris flottaient entre les arbres. Cela avait tout l'air d'être un endroit plein de périls, plongé dans l'obscurité, mais leur route passait bel et bien par là !

Ou plutôt, *sa* route.

Ce soir-là, tandis qu'ils discutaient autour d'un maigre feu en mangeant des baies qu'avait cueillies Regulus, Ombrage examina son épée tachée et rongée par le poison du scorpion.

– Aucune épée ne mérite de rester sans nom ! dit Regulus. As-tu pensé à celui que tu pourrais donner à ce morceau de ferraille ?

– Regulus ! Ne sois pas aussi injuste ! Après tout, cette épée a sauvé la vie d'Ombrage ! s'exclama Robinia.

Ombrage éclata de rire en les voyant se disputer de nouveau et répondit :

– Poison !

– Quoi ? demandèrent en chœur les deux amis.

– Mon épée s'appellera *Poison*, répéta-t-il.

Soufretin émit un sifflement d'approbation et Robinia sourit.

– Bon, on dirait que ce nom plaît à Soufretin…

Les yeux verts d'Ombrage se posèrent sur le petit Dragon, puis sur ses amis et, enfin, sur la lame de son épée, qui brilla d'un éclat vert.

Spica avait l'impression qu'il s'était écoulé des semaines depuis qu'ils avaient réussi à sceller le Miroir des Hordes, mais, en réalité, seuls quelques jours étaient passés.

Stellarius avait fait usage de toute sa magie pour disposer des protections autour du Miroir. Puis il avait pris dans sa besace du papier et une plume pour écrire de brefs messages à envoyer à d'autres mages. Spica le vit façonner de petites hirondelles avec les légères feuilles de ces messages et souffler sur leurs ailes. Les silhouettes de papier prirent magiquement vie entre ses doigts et, battant des ailes, s'envolèrent en direction de leurs mystérieux destinataires.

– Et voilà. C'est la dernière ! À présent, il ne nous reste plus qu'une chose à faire : franchir le Miroir et rejoindre Regulus et Ombrage, soupira Stellarius.

– Cela signifie que, en traversant ce Miroir, nous atteindrons le royaume perdu ? demanda-t-elle.

Stellarius esquissa un sourire et acquiesça.

– Oui. Tes amis pourraient avoir besoin de notre aide. Es-tu prête ?

– Je suis prête ! s'exclama-t-elle.

– En es-tu sûre ? Là où nous allons, nous risquons de rencontrer des Crépusculaires, des Loups-Garous, des créatures innommables et même les Chevaliers sans Cœur.

Spica plissa le front.

– Tout ne peut pas être facile, n'est-ce pas ? observa-t-elle.

Le mage éclata de rire, puis sortit de sa besace la turquoise noircie.

– Nous n'avons pas de temps à perdre. Nous nous lancerons dans le Miroir en même temps que la pierre, cela devrait ouvrir la liaison et la refermer aussitôt après notre passage.

Ils s'approchèrent du puits d'eau stagnante.

– Que les étoiles nous protègent, murmura le mage en regardant l'eau sombre.

Puis il prit Spica par la main et il se jeta avec elle dans le minuscule Miroir d'eau. Une mauvaise lueur violacée palpita, brûla le ciel et s'éteignit.

Soudain, Spica sentit qu'elle était arrachée à la terre, aspirée dans un tourbillon de lumière violacée et précipitée dans un espace qui n'avait ni haut ni bas, où tout ne paraissait qu'une succession rapide de lumières et de bruits. Elle sentit son visage

s'enflammer. Brusquement, tout se calma et elle fut rejetée, en même temps que le mage Stellarius, de l'autre côté du Miroir des Hordes. Ils étaient arrivés dans le Territoire Obscur, là où se trouvaient également Ombrage et Regulus.

La jeune fille eut du mal à reprendre son souffle. Bientôt, elle se rendit compte qu'ils avaient atterri dans un endroit terrifiant, au milieu d'immenses arbres noirs qui agitaient leurs branches comme de longs doigts menaçants. Un paysage d'épouvante.

Une vive lumière sortit du bâton du mage. Une fois encore, les puissants éclairs de Stellarius jaillirent en cercles, éjectant au loin les Loups-Garous qui gardaient le Miroir des Hordes. Le mage serrait la turquoise entre ses doigts : le Miroir était refermé, aucun Loup-Garou ne pourrait le traverser jusqu'au royaume des Étoiles. Ils s'éloignèrent rapidement de ces lieux et s'enfoncèrent dans la forêt noire.

Plusieurs jours s'étaient écoulés depuis qu'Ombrage avait terrassé le scorpion géant. Le garçon semblait s'être rétabli et s'était remis en marche avec ses amis. Mais, tôt ou tard, les Loups-Garous risquaient de flairer leur présence. Ils devaient se hâter d'atteindre leur but.

Ombrage s'assura que l'ampoule contenait encore son précieux liquide et consulta le médaillon de la Reine des Fées. La boussole indiquait l'est, et les jeunes gens furent donc obligés de s'engager dans la Forêt Brumeuse. Au bout de quelques heures de marche, la forêt s'ouvrit pour faire place à une vallée couverte d'un brouillard dense, presque étouffant. C'est là qu'ils découvrirent les premières traces.

Le terrain était piétiné par les pas des chevaux et, çà et là, on apercevait les traces d'anciens feux de camp.

Robinia se mordilla nerveusement la lèvre inférieure et murmura :

– Les Chevaliers sans Cœur ! Dans le royaume, ils sont les seuls à avoir des chevaux, dont les fers sont très reconnaissables. Ils devaient être au moins cinq…

Dès lors, plus encore qu'auparavant, les trois jeunes gens se tinrent sur leurs gardes. La plainte d'un hibou les tourmenta toute la nuit, comme s'il les prévenait de l'imminence d'un danger ; ils décidèrent de se remettre en route peu avant l'aube.

Dissimulée derrière un énorme tronc, Spica se pencha précautionneusement pour jeter un coup d'œil sur le campement auquel ils venaient d'arriver. Elle distingua d'abord des prisonniers enfermés dans des cages, puis elle avisa deux imposantes silhouettes qui se dirigeaient vers une cabane de rondins, où des Loups-Garous vêtus de rouge entraient et sortaient : son cœur bondit alors dans sa poitrine.

Les Chevaliers sans Cœur !

– Ils sont trop nombreux. Et, surtout, ils sont trop dangereux. Si nous voulons libérer ces gens, nous devons nous débrouiller pour éloigner les Chevaliers sans Cœur. Même moi, je suis incapable de les vaincre ! dit Stellarius.

– Comment faire ? demanda Spica sans détacher son regard des Loups-Garous.

– Nous devons distraire leur attention… Voyons voir… Ils savent que quelqu'un a franchi le Miroir des Hordes, et c'est ce qui les met dans cet état d'agitation. Je crois avoir une idée ! Profitons de leur nervosité ! s'exclama-t-il en ricanant.

– Comment ?

– Avec des feux ! Nous allons en allumer plusieurs, ici et là ! Cela les obligera à courir pour voir où nous sommes… Nous devons faire en sorte qu'ils se dispersent !

La jeune fille contempla de nouveau les prisonniers enchaînés dans les cages. Ils avaient l'air épuisé, sans force. Ils avaient sur le visage l'expression de ceux qui ont perdu tout espoir.

32
FLÈCHES

C'est à la tombée de la nuit qu'ils aperçurent le premier feu de camp. Les jeunes gens s'arrêtèrent, pétrifiés. Ce n'était pas le moment de prendre des risques. Ils étaient si proches de l'Arbre Maître !

Le cœur serré comme dans un étau, ils décidèrent de contourner le camp ennemi, en prenant par le sud pour rejoindre la route qui les conduirait à leur but.

S'ils étaient découverts, ils se débrouilleraient pour qu'Ombrage au moins puisse poursuivre, afin de mener à bien sa mission. À n'importe quel prix.

Ils marchèrent jusqu'au cœur de la nuit dans la forêt plongée dans la brume, prenant garde à ne se signaler par aucun bruit.

Ils marchèrent si longtemps qu'ils perdirent la notion du temps et de l'espace. Puis, se détachant sur le murmure des feuilles agitées par le vent, ils entendirent un aboiement.

Une fois encore, ils restèrent immobiles, pétrifiés, dans

l'obscurité qui les enveloppait et qui semblait comprimer leur cœur.

Le bruit faiblit un peu, et, brusquement, se fit plus fort : c'étaient des voix sombres, terribles. Ombrage fit signe à ses compagnons de se cacher derrière les troncs, espérant qu'on ne les avait pas vus. Les yeux méchants des Chevaliers sans Cœur brillèrent dans la forêt, transperçant le brouillard comme des flammes.

Ils étaient au moins trois.

Le cœur battant, les jeunes gens essayèrent de se faire aussi petits que des champignons, silencieux comme des troncs d'arbres et légers comme le brouillard, mais les voix s'approchaient de plus en plus.

– Il n'y a personne ici ! dit une voix.

– Pourtant, quelqu'un a traversé le Miroir des Hordes et le roi veut savoir ce qui s'est passé ! Apparemment, quelques-uns de ces misérables tentent de se rebeller…

– Qu'est-ce que ça peut bien faire ? Personne ne peut résister à la Reine Noire et à son armée. Plus tôt ils le comprendront, mieux ça vaudra pour eux !

– Et pour nous ! dit l'autre.

– Je déteste ces reconnaissances dans la forêt. Ça ne sert à rien, je ne vois pas ce que pourraient faire les quelques Elfes que nous n'avons pas encore capturés. Ils ne sont bons qu'à travailler !

Un cheval s'ébroua en passant près d'Ombrage, qui recula silencieusement derrière le tronc.

– Il paraît que les scieries des champs de bois ne produisent pas suffisamment… La Reine Noire n'est pas contente et ce lèche-bottes de Roi Garou prétend que nos patrouilles sont trop négligentes.

Les pas s'approchèrent de Robinia, qui, retenant son souffle, se fit toute petite.

– Bah… déclara la voix en s'éloignant, c'est pour cela que nous avons laissé la vie aux nouveaux prisonniers : des bras jeunes et forts… Ceux-là, ils vont travailler comme il faut !

– En tout cas, tant que Rhodius ne les aura pas tous tués à coups de fouet pour les jeter en pâture à ses Loups-Garous. En voilà un qui ne fait pas dans le détail !

– Ouais… dit l'autre, en s'immobilisant.

Regulus ferma les yeux pendant un instant qui lui parut une éternité. Ils devaient être très proches. S'ils le voyaient… Il resta immobile, telle une vieille souche, mais, soudain, le silence lui parut plein d'une présence. Il entrouvrit à peine les paupières et les vit. Deux yeux sombres et féroces, presque amusés, qui le regardaient du haut d'un énorme museau, garni de crocs terrifiants.

« Un Loup-Garou », pensa-t-il, étourdi, sans avoir la force de hurler.

Les illustrations des livres ne rendaient pas justice à l'aspect effrayant de la bête, et encore moins, bien sûr, à l'odeur nauséabonde qu'elle dégageait. Regulus serra les dents et, en une fraction de seconde, se rendit compte qu'il n'y avait plus aucun espoir pour lui. L'énorme bête poilue, dont la gueule ouverte laissait échapper des filets de bave, émit un grognement sourd.

Alors, Regulus prit sa décision. Il allait servir d'appât. Ombrage et Robinia pourraient se sauver s'il se sacrifiait… Il avait été découvert et, de toute façon, ça allait mal finir pour lui. Ainsi, au moins aiderait-il ses amis !

Il n'avait donc plus qu'à bouger !

Le Loup-Garou bondit, Regulus gémit et se jeta de côté, dans les fourrés, au beau milieu des Chevaliers sans Cœur, qui se retournèrent et dégainèrent leurs noirs cimeterres. Regulus sentit une lame passer juste au-dessus de sa tête. Il cria et roula à terre, tentant d'échapper à la mort.

Il entendit Robinia hurler.

Pendant un très bref instant, il croisa les yeux d'Ombrage et siffla :

– Fuis… Fuis, vite, vite !

Puis il fit volte-face et, hurlant comme une furie, il brandit son arbalète, visa et décocha un trait.

Le fer alla se briser contre le casque du Chevalier sans Cœur, tandis que Robinia sortait de sa cachette pour voler à son secours.

Dans la mêlée, Soufretin reçut un coup qui le projeta à quelques pas de là. L'intervention de la jeune fille entraîna une grande confusion, les chevaux s'emballèrent et l'un d'eux coupa la route à Ombrage. On entendit des cris, auxquels des aboiements répondirent dans le lointain.

Mais c'était un combat désespéré, et Regulus reçut bientôt un coup de poing qui l'assomma ; il tomba face contre terre, tandis qu'une botte de fer appuyait sur ses reins. Sa chère arbalète fut brisée en mille morceaux.

Robinia, ligotée, fut jetée sur le dos d'un cheval noir, évanouie, peut-être morte. Puis ce fut le tour de Regulus.

Hébété, blessé, Regulus entendit les Chevaliers sans Cœur qui disaient, d'une voix froide et posée :

– Il reste encore un de ces moustiques, là-bas !

« Fuis, Ombrage… fuis ! » cria Regulus en lui-même. Il tourna lentement la tête pour tenter d'apercevoir son ami.

Hélas, avant qu'il ait pu comprendre ce qui se passait, un chevalier leva son arc et encocha une flèche. Il rassembla son souffle pour hurler un avertissement, mais il n'en eut pas le temps. Il distingua seulement la silhouette rapide d'Ombrage qui se glissait dans les fourrés et se retournait pendant un bref instant, comme pour un ultime adieu.

Le coup fut soudain et violent.

La flèche frappa le garçon au thorax, et pendant un instant brilla d'une lueur de mort.

Ombrage tomba à la renverse et fut aussitôt englouti par l'épais brouillard.

Regulus poussa un cri, mais un nouveau coup le fit taire. Robinia, qui était revenue à elle, garda les yeux fixés sur l'endroit où Ombrage était tombé ; des larmes de désespoir coulaient sur son visage.

Spica attendit que les derniers Chevaliers sans Cœur aient disparu derrière le grand chêne. Alors, elle se laissa glisser en bas de l'arbre et se dirigea vers le camp. Elle repéra les deux Loups-Garous qui gardaient les cages, se cacha derrière un arbre et les abattit de plusieurs flèches. Puis elle rejoignit Stellarius. Sur un signe du mage, elle s'élança en direction des prisonniers qui avaient assisté, stupéfaits, à la scène.

– Robinia ? demanda une voix rauque et faible.

Spica s'arrêta et se tourna vers l'Elfe qui venait de parler. Il avait sur le visage une expression de désespoir et de douleur.

– Ah, non… tu n'es pas Robinia… Qui es-tu donc ?

Spica se pencha sur lui et essaya de le libérer de ses lourdes chaînes en forçant la serrure à l'aide de la pointe d'une flèche. L'Elfe la fixa, incrédule.

– D'où viens-tu ? Du royaume des Étoiles ? dit-il enfin, scrutant le front de la jeune fille.

Elle acquiesça :

– Mon nom est Spica. Je suis là pour vous aider. Comment vous appelez-vous ? s'enquit-elle tout en se hâtant de libérer les autres prisonniers.

– Je suis Brugus… Peut-être connais-tu Ombrage et Regulus !

La jeune fille tressaillit.

– Oui, bien sûr… je les connais ! Comment vont-ils ? Que sais-tu d'eux ?

– Je ne sais plus rien ! Je ne les ai pas vus depuis que Triste Refuge est tombé… gémit l'Elfe.

C'est alors que Stellarius s'approcha et avertit :

– Ils reviennent… Gardez le silence et faites comme si vous étiez toujours prisonniers ! Et toi, viens avec moi, jeune fille !

Avant de s'éloigner, Spica leur laissa la pointe de la flèche, afin qu'ils forcent les serrures de ceux qui étaient encore prisonniers.

– Tu l'as tué ! dit avec indifférence un des noirs Chevaliers.

– Oui. Cela fait un moustique de moins…

– Cela fait aussi deux bras en moins, commenta l'autre. Je ne comprends pas cette habitude que tu as de toujours tuer… comme un réflexe !

Horrifiée, Robinia ne pouvait détourner son regard, espérant qu'elle allait voir la silhouette d'Ombrage se relever dans le brouillard, vivant ! Mais elle ne distingua rien.

– Bon, en attendant, conduis ces deux-là au camp… ordonna l'autre Chevalier. Moi, je vais jeter un coup d'œil, par sécurité. Il n'est peut-être que blessé.

Ils se dirent encore quelques phrases, mais Robinia baissa la tête, tout endolorie, et n'entendit plus rien. Les Chevaliers partirent, les emmenant loin de cet horrible endroit.

Elle n'avait plus aucune illusion.

Elle ferma les yeux, et les larmes continuèrent de couler sur son visage, se mêlant au sang et à la terre.

33

Lumières dans les ténèbres

Regulus sentait d'épaisses gouttes de sang couler sur son visage. Il ouvrit un œil tuméfié pour regarder autour de lui. On l'avait jeté, tête-bêche, sur le même cheval que Robinia – il distinguait les bottes de la jeune fille –, mais on lui avait attaché les mains dans le dos, et les liens étaient si serrés qu'il lui était impossible de se libérer.

Soudain, dans son esprit brumeux, reparut la silhouette d'Ombrage, et il revit la flèche qui l'avait frappé.

Ce fut comme si on lui arrachait le cœur.

Mort. Ombrage ne pouvait être que mort…

Il ferma les yeux et serra les dents, refusant d'envisager cette possibilité.

Spica se rendit compte qu'elle n'était plus la jeune fille d'autrefois. Celle qui, il n'y avait pas si longtemps, faisait cuire des gâteaux avec Mérope dans la grande cuisine de la Coupole et racontait des histoires sur la Bûche des Mille Paroles. Elle éprouvait quelque nostalgie pour ces temps heureux. Alors, elle avait vécu à l'abri de dangers qu'elle ne pouvait imaginer, ignorant de terribles vérités : les Elfes enchaînés, les créatures écrasées par la tyrannie... Maintenant qu'elle avait connu la douleur et l'injustice, elle avait le devoir de combattre et ne pourrait plus jamais être celle qu'elle avait été. Cet Elfe, Brugus, lui avait dit qu'il connaissait Ombrage et Regulus. Ainsi, le Miroir des Hordes les avait bien conduits là où ils espéraient aller. Au royaume des Forêts ou, mieux, au royaume perdu. Peut-être, se dit-elle pendant qu'un bruit de sabots s'approchait, allait-elle bientôt les rencontrer. En tout cas, elle les chercherait jusqu'à ce qu'elle les trouve !

Un Chevalier approchait. Il marchait à côté d'un cheval noir, sur lequel étaient jetés deux corps, probablement évanouis.

À ce moment, le regard du Chevalier se posa sur les flèches plantées dans les rondins de la cabane et sur les Loups-Garous qui gisaient à terre, morts. Il s'immobilisa et regarda calmement autour de lui, cherchant les ennemis.

Stellarius attendit encore un instant, puis sortit à

découvert, imposant et effrayant. Spica eut l'impression que la silhouette du mage vibrait d'une intense lumière blanche. Soudain, la voix du Chevalier sans Cœur déchira le silence, telle la lame d'une épée.

– C'est toi, mage ! cria-t-il d'un ton de folle satisfaction, en dégainant son noir cimeterre. C'est toi qui as violé le Miroir !

Craignant que Stellarius ne soit en danger, Spica prit son courage à deux mains. Elle s'avança dans son dos et tendit la corde.

La flèche magique de son arc n'hésita qu'un instant, puis bondit en avant, volant avec sûreté jusqu'à frapper le dos du Chevalier, et… elle se brisa en mille morceaux.

Le Chevalier se retourna comme si de rien n'était.

– Toi, moustique, je m'occuperai de toi après ! siffla-t-il.

Puis il se tourna de nouveau vers Stellarius, grondant :

– Je vais toucher une prime pour ton sang, Stellarius ! La Reine Noire te recherche depuis trop de printemps !

– Essaie, si tu en es capable ! le défia le mage.

Avant que Spica ne s'en soit rendu compte, la lame du Chevalier s'était projetée en avant. Au même instant, un éclair de lumière blanche sortit du bâton de Stellarius. Les lèvres du mage prononcèrent des paroles étranges et mystérieuses, qui firent trembler la terre.

La tête de la jeune fille sembla se vider, vibrant de douleur, puis elle entendit un cri horrible, et un vent furieux s'abattit sur le campement, la renversant à terre et menaçant de l'emporter. Ce fut comme si des doigts décharnés s'agrippaient à ses vêtements en hurlant. Quand elle réussit à rouvrir les yeux, tout était fini.

La lumière faiblit et Stellarius s'affaissa, s'appuyant sur son bâton comme s'il s'était vidé de ses forces. Mais le

Chevalier… le Chevalier s'était évanoui. Le cheval noir, affolé, fit tomber les corps qu'il transportait, puis s'enfuit au grand galop.

Spica se leva et secoua la tête ; ses oreilles sifflaient.

– Je croyais qu'on ne pouvait rien faire contre les Chevaliers ! murmura-t-elle en s'approchant de Stellarius.

Le mage secoua la tête d'un air bougon.

– Que crois-tu que j'aie fait ? Rien. Moins que rien… Je ne peux pas détruire ce qui n'a ni forme ni substance… Je ne peux m'en prendre qu'à leurs armures, qui ont une forme et une substance, elles ! Mais cela me demande une énorme quantité d'énergie. Il vaut mieux que je me repose, maintenant. Je suis exténué… Avant toute chose, nous devons partir d'ici ! Tous !

Et, du bâton, il désigna les cages.

Les prisonniers qui étaient en état de tenir debout se levèrent, aidèrent les autres à retirer leurs chaînes, puis ils s'approchèrent de leurs deux libérateurs et les entourèrent pour une accolade incrédule. Cependant, Brugus, le Forestier avec qui Spica avait parlé, se dirigea en chancelant vers les deux paquets qui étaient tombés du cheval.

– Robinia ! Robinia ! s'exclama-t-il d'une voix étranglée.

Alors, seulement, Spica baissa les yeux et eut un coup au cœur.

Si la jeune fille aux longs cheveux bouclés était la Robinia dont elle avait entendu parler peu avant, alors l'autre paquet sanglant était…

– Regulus ! cria-t-elle en se jetant sur son frère et en le serrant dans ses bras, bouleversée.

– Ce n'est pas possible… ce n'est pas possible… murmura le jeune Elfe en ouvrant à peine son œil tuméfié.

– Si, si, c'est possible ! C'est moi ! C'est Spica ! murmura sa sœur, versant des larmes de joie.

Plusieurs heures s'écoulèrent avant que les fugitifs ne trouvent un endroit sûr où s'arrêter. Mais, pendant qu'ils marchaient dans le sous-bois, Spica s'approcha de son frère et de la jeune Robinia, et eut enfin le courage de leur poser la question qui couvait dans son cœur depuis longtemps.

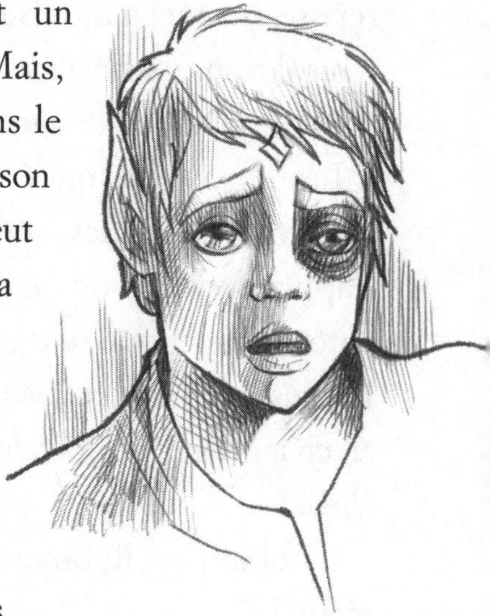

– Et Ombrage ? Où est-il ? Que lui est-il arrivé, Regulus ?

Une expression triste se peignit sur le visage de Regulus.

Il savait qu'elle allait lui poser cette question, il était même surpris qu'elle ait attendu aussi longtemps, mais il devinait que sa sœur avait peur de savoir.

– Je ne sais pas, dit-il lentement. Quand les Chevaliers nous ont découverts, il aurait dû s'enfuir pour atteindre la Clairière des Treize Arbres Sages… Mais je ne sais pas… s'interrompit-il, sans oser révéler ce qu'il avait vu.

Dans son esprit, il revit le coup comme s'il l'avait reçu lui-même ; il se passa une main sur la poitrine, comme pour s'assurer qu'il était encore en vie. Il ferma les yeux à demi.

– Ombrage est mort ! dit alors la voix rauque de Robinia.

Les mains de Spica tremblèrent et se crispèrent sur son arc. Ses yeux bouleversés se tournèrent vers ceux de la jeune fille qui venait de parler. Les mots moururent dans sa gorge et sa tête bourdonna de douleur.

Comme si cela n'avait pas d'importance pour elle, Robinia ajouta :

– Je l'ai vu. Il est mort…

– Non ! fit Spica, incrédule.

Robinia secoua la tête.

– Je l'ai vu transpercé par une flèche noire. Je l'ai vu tomber… et…

Elle hésita.

– Il ne s'est pas relevé, ajouta lentement Regulus.

Spica fit un pas en arrière et son dos alla heurter un tronc.

– Ce n'est pas possible… murmura-t-elle, le souffle coupé.

Son visage était pâle. Elle ferma les yeux, serra les lèvres, envahie par une douleur qu'elle n'aurait jamais imaginé pouvoir endurer.

Regulus crut un instant qu'elle allait s'évanouir mais, au contraire, une sombre force scintilla dans les yeux de sa sœur.

– Il ne méritait pas de mourir, mais ce n'est pas le moment de penser à lui, déclara soudain Robinia en relevant la tête. Nous devons porter la larme à l'Arbre Maître. Nous devons retourner prendre l'ampoule et finir ce qu'il a commencé !

Et, tout à coup, elle ne put s'empêcher de penser à Soufretin, qu'elle avait perdu là-bas, au cœur de la forêt.

34
LE CHEVALIER SANS CŒUR

Son épée scintillait d'un éclat vert lorsque, avec un gémissement de colère, Ombrage se retourna. Il n'ignorait pas qu'il devait continuer seul… Personne ne savait mieux que lui que tout dépendait de ce qu'il allait faire en cet instant. Pourtant, il ne pouvait pas croire que la réussite de sa mission implique qu'il abandonne ses amis. Aussi, sa décision fut prise en un éclair. Il allait retourner sur ses pas pour voler à leur secours… quand la flèche fendit l'air telle une ombre rapide et fatale.

Le garçon ne se rendit compte de rien avant que la pointe ne le frappe violemment au milieu de la poitrine. Le coup fut si brutal qu'il en eut le souffle coupé et tomba en arrière.

Il crispa les doigts sur la poignée de son épée, comme pour chercher un appui, puis sentit qu'il s'enfonçait dans l'épais brouillard qui enveloppait les grands troncs.

La douleur fut déchirante, mais ses lèvres ne poussèrent

pas un cri. Ses jambes cherchèrent un soutien, en vain. La terre se déroba sous ses pieds et, tout en luttant contre l'obscurité de la Forêt Brumeuse, le garçon tomba dans un gouffre noir.

La première chose dont il fut conscient fut un bruit de pas précautionneux sur les feuilles. Puis l'odeur forte de l'haleine de Soufretin.

La tête embrasée de douleur, Ombrage voulut serrer la main sur la garde de Poison, mais un pied se posa sur son poignet et quelqu'un se pencha sur lui.

– Chut ! entendit-il. Ils sont juste à côté !

Ombrage parvint à ouvrir les yeux avec difficulté et découvrit un visage qui l'observait.

Il eut d'abord du mal à le reconnaître.

C'était le chasseur de Dragons qu'il avait déjà vu dans la Forêt des Bourgeons Verts, juste après leur arrivée dans le royaume perdu, mais ses pensées étaient encore pour le moins confuses.

Il avait dû tomber… Il s'était senti tomber. Il avait cru mourir quand il avait été frappé en pleine poitrine. Frappé par une flèche noire.

Il aurait dû être mort !

Incrédule, il essaya de se lever et le chasseur le laissa faire.

– Doucement. Tu as fait une sacrée chute ! lui dit-il en s'asseyant sur une pierre.

La tête du garçon lui tournait et il se tâta la poitrine, cherchant la blessure.

Il ne la trouva pas.

À la place, il mit la main sur la boussole de la Reine des Fées : elle était cabossée et portait la marque du choc d'une flèche. Le cristal qui la recouvrait s'était brisé, mais elle lui avait sauvé la vie.

– Tu as eu de la chance, murmura alors le chasseur avec un sourire sinistre. Personne n'a jamais survécu à une flèche noire. Enfin, tout le monde ne possède pas un médaillon enchanté ! ricana-t-il.

– Que fais-tu ici ? demanda Ombrage, en regrettant aussitôt la sottise de sa question.

Les yeux enfoncés dans l'orbite scintillèrent en noir.

– Je pourrais te poser la même question, mon garçon. Voilà bien longtemps que je n'avais pas vu d'étoile au front d'un Elfe !

Le garçon ne répondit pas et le chasseur poursuivit :

– Et voilà bien longtemps que je

n'avais pas vu une épée comme celle que tu portes. Une arme singulière...

Ombrage saisit Poison et l'éloigna de lui.

– Tu es un allié des Chevaliers sans Cœur !

– Ne fais pas cette tête, mon garçon. Je n'ai aucune intention de te la voler, parce que je crois que personne d'autre que toi ne pourrait s'en servir.

– En tout cas sûrement pas ceux qui ont été tués ou réduits en esclavage ! répliqua Ombrage avec colère.

Le chasseur acquiesça vaguement.

– Qui peut le nier ?

– Peut-être celui qui a vendu ses services à l'ennemi. Celui qui a trahi son peuple, siffla Ombrage en s'aidant de Poison pour se relever.

Le chasseur secoua la tête.

– Je comprends. Tu crois savoir qui je suis, n'est-ce pas ? Oh oui. Nombreux sont ceux qui ont cru et qui croient encore me connaître. Qu'ils le croient aussi longtemps qu'ils le veulent, cela n'a pas d'importance... dit le chasseur avec lenteur. Mais toi, tu es un sot. Crois-tu que, si j'avais voulu te livrer à l'ennemi, il y ait quoi que ce soit qui aurait pu m'en empêcher ? Les Loups-Garous ne sont jamais très loin et, s'ils ne te cherchent pas, c'est seulement parce qu'ils sont persuadés de t'avoir tué. Pour

Poussé par une force irrésistible, Ombrage est retourné dans son royaume, le royaume perdu.
Il a trouvé la solution de mille énigmes dans un petit geste tout simple : verser la dernière larme.
Innombrables sont les questions qui se pressent dans l'esprit du jeune Elfe, l'élu, celui qui doit vaincre l'Obscur Pouvoir. Mais l'heure des réponses n'a pas sonné. Pas encore. Maintenant, c'est le moment du repos...
Après la tempête
- La bataille finale -

Stellarius, l'un des plus puissants mages du royaume de la Fantaisie sort de l'ombre.
Il y a quelque chose en lui, quelque chose qu'aucune magie ne peut enseigner.
C'est le pouvoir de distinguer au-delà des apparences.
Car ce que l'on voit n'est pas toujours ce qui est vraiment.

« Le destin s'est accompli.
La nature revient à la vie »,
pense le mage.
Mais il reste encore
beaucoup à faire.
Il faut mettre le jeune Ombrage en sécurité,
là où le Mal ne pourra l'atteindre.

Mais il faut faire vite…
… parce que Brugus et Robinia ont encore besoin d'aide. Et Stellarius comprend à leurs regards que quelque chose ne tourne pas rond.

Il comprend que la tempête ne s'est pas encore apaisée.
On ne peut affronter la tempête qu'en luttant avec courage et, aujour
d'hui, c'est dans leur chair que Regulus, Spica et Robinia vont l'apprendr

Pendant que les jeunes Elfes combattent, Stellarius conduit Ombrage à l'abri.
Malgré les Loups-Garous qui croisent leur route.
Tant pis pour eux.
Ils ne savent pas qui se dresse devant eux.

Face à Brugus, les ennemis se multiplient.
Regulus se demande comment
il fait pour tenir.
Puis il croise
son regard.

Le secret est dans son regard. Il n'y a nulle peur dans ses yeux. Rien que de la force et de la détermination.
En quelques secondes, tout est clair pour Regulus...
... il doit affronter sa peur avant d'affronter ses adversaires, quels qu'ils soient.

Stellarius devrait se réjouir de la victoire qu'il a remportée sur les Loups-Garous. Mais il a une étrange sensation.
Les Spectres Bleus...

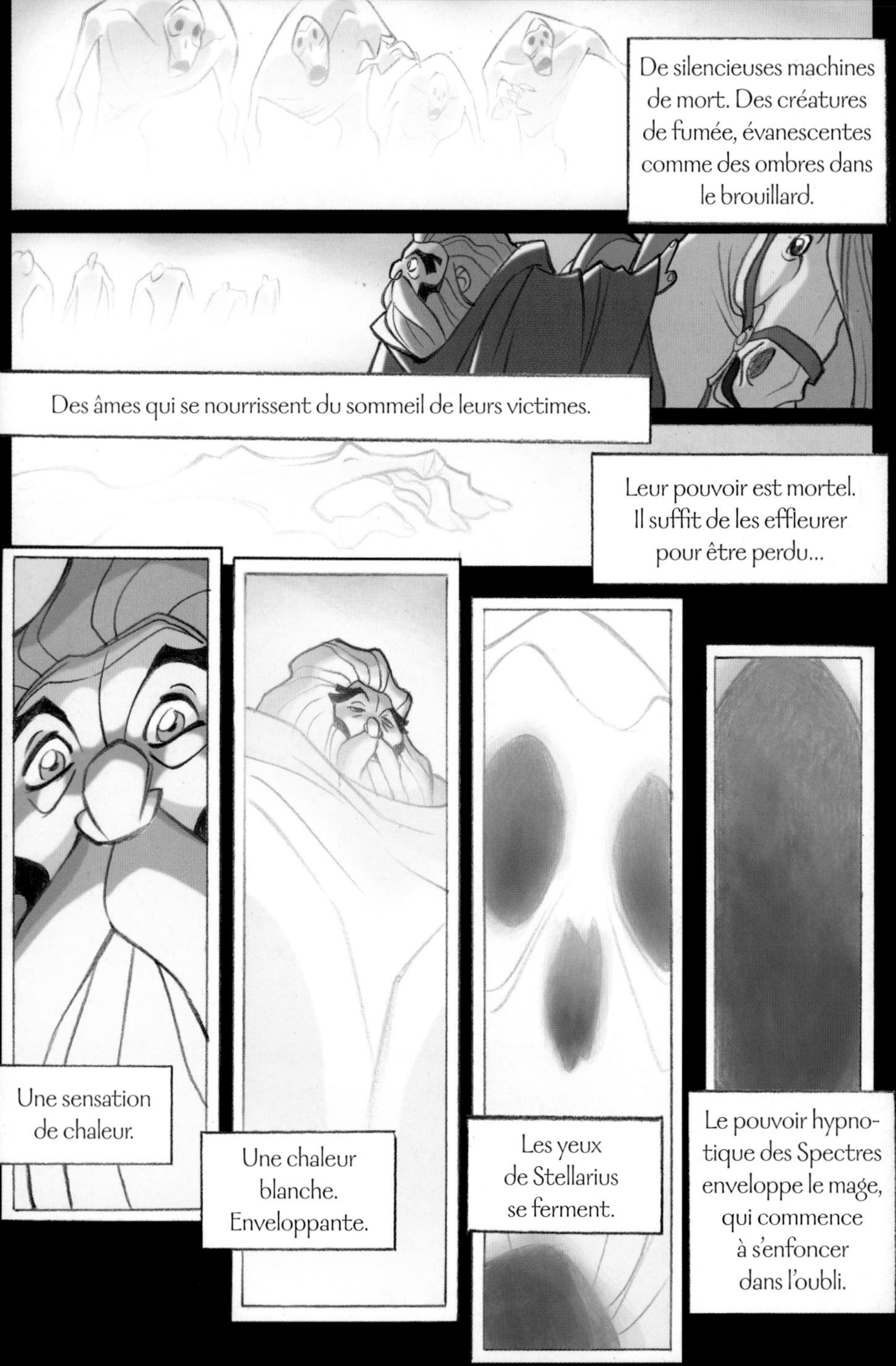
De silencieuses machines
de mort. Des créatures
de fumée, évanescentes
comme des ombres dans
le brouillard.
Des âmes qui se nourrissent du sommeil de leurs victimes.
Leur pouvoir est mortel.
Il suffit de les effleurer
pour être perdu…
Une sensation
de chaleur.
Une chaleur
blanche.
Enveloppante.
Les yeux
de Stellarius
se ferment.
Le pouvoir hypno-
tique des Spectres
enveloppe le mage,
qui commence
à s'enfoncer
dans l'oubli.

Mais, sur le champ de bata
les jeunes Elfes refusent
de se rendre.
ZACK

Il faut des esprits courageux...
... et des bras puissants pour réconforter ceux qui fléchissent.
Mais le plus importan
c'est de combattre aup
d'amis valeureux.
Tel Brugus.

Ensemble, la victoire est proche...
... même si le prix à payer est élevé...
AAUUUUUHHHH
... et que de nouveaux ennemis sont aux aguets.

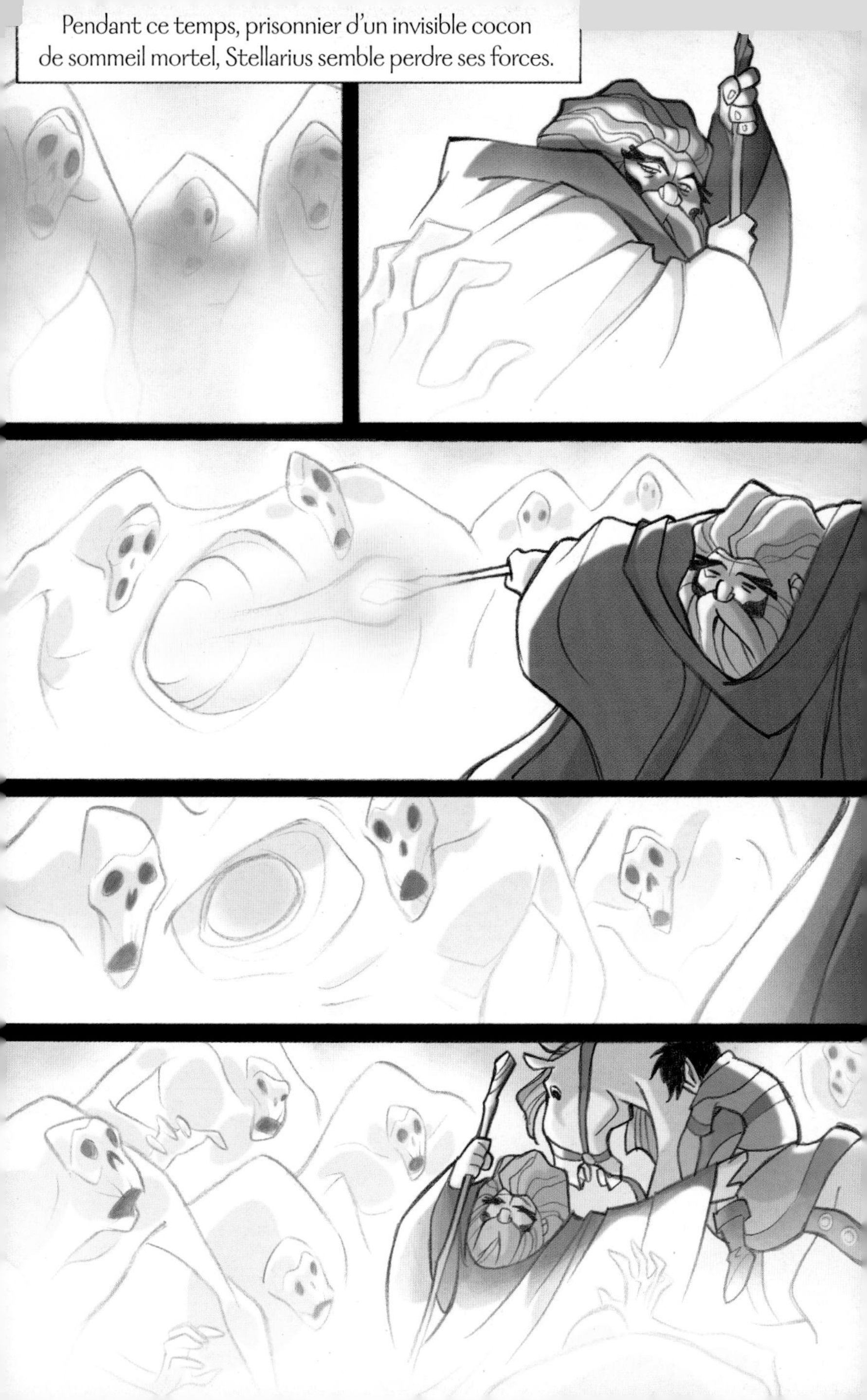
Pendant ce temps, prisonnier d'un invisible cocon
de sommeil mortel, Stellarius semble perdre ses forces.

Mais, soudain, le mage retrouve la capacité de distinguer au-delà des apparences.
De voir la lumière même quand le brouillard enveloppe toutes chose
Le moment du réveil est arrivé.
Comme le sommeil s'évanouit au lever du jour, ainsi les Spectres Bleus chancellent devant le pouvoir du mage.

Des créatures de poussière,
aussi fragiles que des empreint
sur le sable. Rien de plus.
Et, comme des
empreintes sur
le sable, il suffit
d'un rien pour
les effacer.
Ainsi, tandis que la poussière
se dissipe, l'aube s'ouvre
à un nouveau lendemain.

Dans l'aube naissante, quelqu'un
est encore en danger.

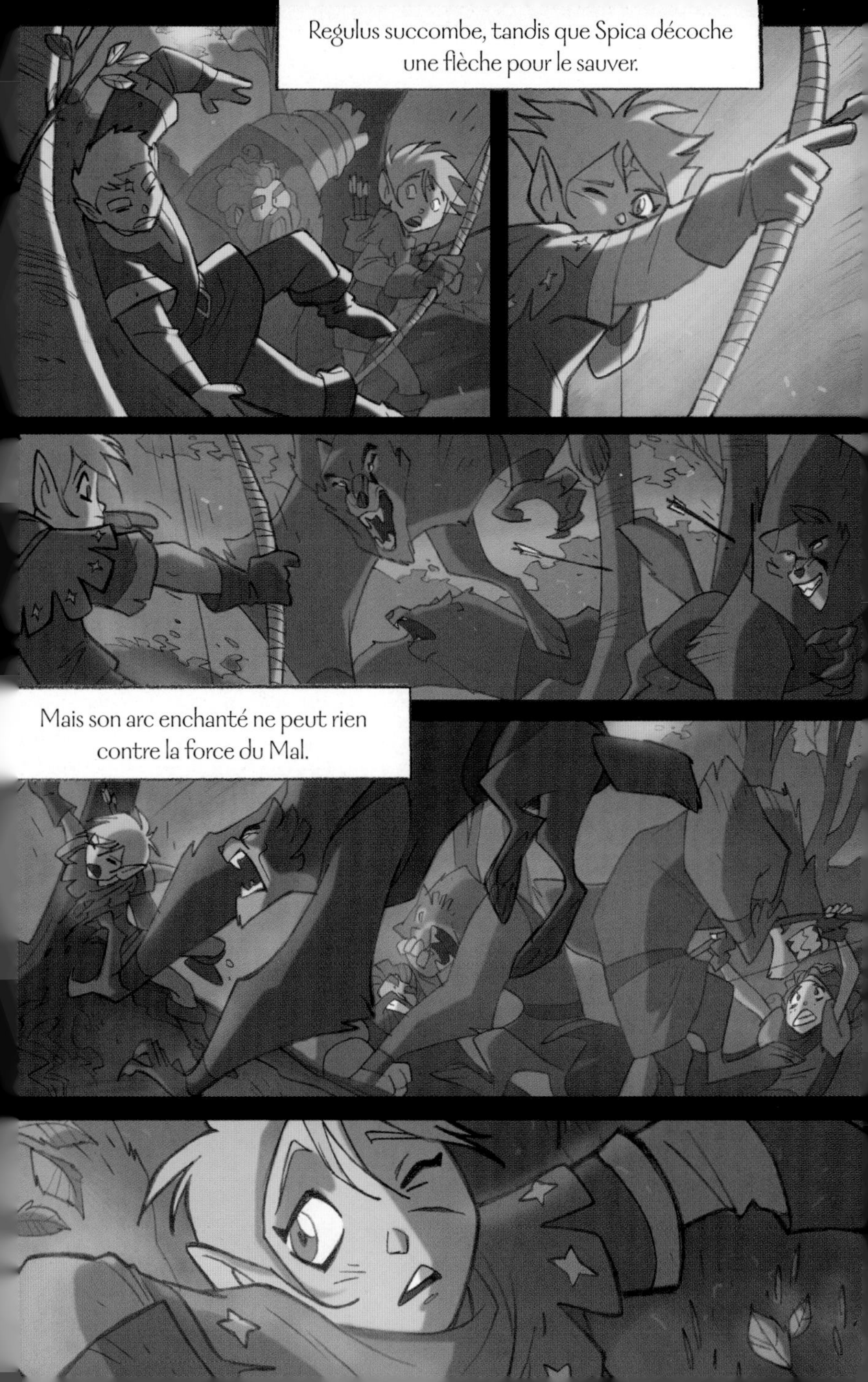
Regulus succombe, tandis que Spica décoche une flèche pour le sauver.
Mais son arc enchanté ne peut rien contre la force du Mal.

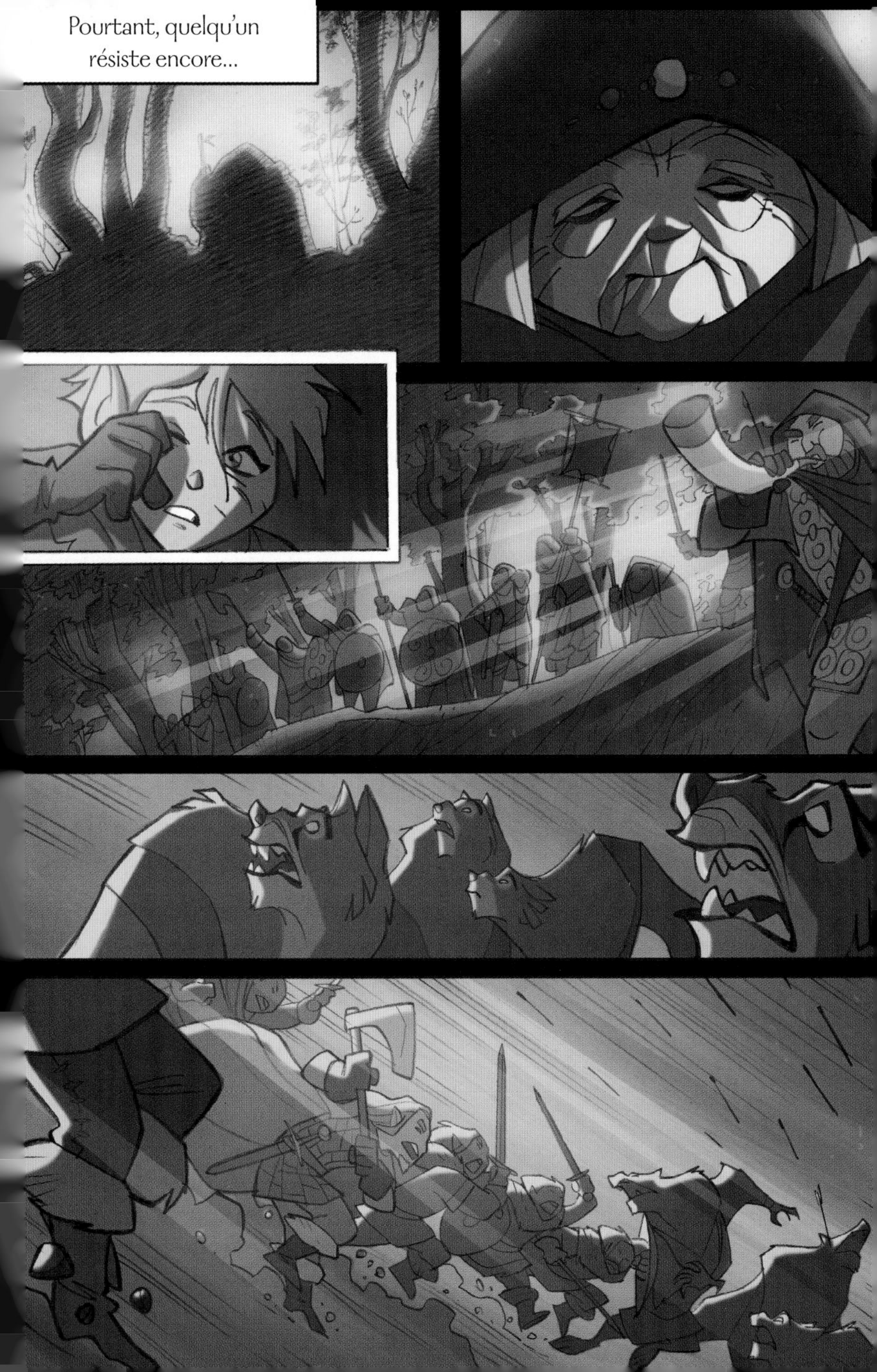
Pourtant, quelqu'un résiste encore...

... et la bataille reprend
de plus belle

Les Elfes des Forêts reconquièrent
ce que le Mal veut détruire.

En quelques minutes, tout est fini. Les Loups-Garous sont vaincus, à jamais.
Enfin, les Elfes des Forêts ont de nouveau un endroit qu'ils peuvent appeler leur maison.
Spica se retourne soudain, attirée par quelque chose dans l'ombre.
Parfois, la curiosité est une arme dangereuse.

Comme dans les contes qu'elle lisait lorsqu'elle était enfant, elle se retrouve seule au cœur de la forêt. Et elle se surprend à penser que...
... dans tout conte...
... il y a un fond de vérité !
Mais, comme dans tous les contes, le méchant loup finit par être tué.

CRACK
Naturellement, il est tué
par un chasseur…
Du mystérieux chasseur, Spica ne trouve
que la flèche, qu'elle attache
à son cou pour ne pas oublier.

JUNIPERUS
Ils passent ainsi la journée
à reconstruire ce qui
a été détruit.
Ombrage est de
retour chez lui.
Des nouvelles alliances,
de nouveaux pactes se nouent.
Rien ne sera jamais
plus comme avant.

Il est temps
de se réunir...
... de rester ensemble pour
redonner vie au royaume
des Forêts.
En apprenant à faire
confiance aux autres.

En apprenant à mettre son orgueil de côté, pour une fois.
En acceptant d'avoir parfois besoin des autres. De faire partie d'une grande famille.
C'est maintenant que commence le chemin d'Ombrage. Le destin lui réserve de grandes choses, c'est écrit dans son prénom même...
... n'est-ce pas, Audace ?

Le mystérieux chasseur sait des choses que le jeune Audace ignore encore.

La tempête semble terminée. Le ciel est limpide, les oiseaux gazouillent sur les branches. Tout semble s'apaiser.

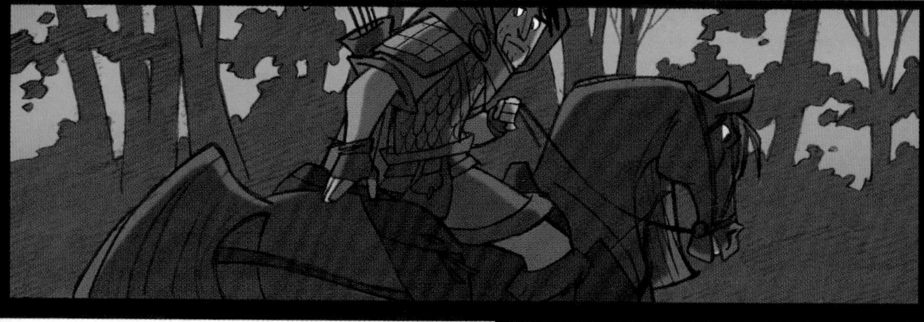

Mais, parfois, le calme n'est qu'un prélude à une nouvelle et terrible tempête.

l'instant, ils sont occupés à passer la forêt au peigne fin pour débusquer les autres rebelles qui se sont enfuis, mais…

– Enfuis ? le coupa Ombrage.

– Il se passe de drôles de choses depuis quelque temps. Hélas, comme tu me tiens pour un traître, j'imagine que tu ne me révéleras pas la raison de ta présence ici, n'est-ce pas, mon garçon ?

– Tu devras me tuer pour savoir quelque chose de moi !

Le chasseur sourit.

– Oh, je t'en prie, économise ton souffle. Je n'ai vu que trop de combats inutiles, je n'ai vu couler que trop de sang innocent… C'est ce que tu veux ? Ou veux-tu vraiment aider ce peuple ? N'est-ce pas pour cela que la Reine des Fées t'a envoyé ?

– Comment sais-tu qui… ?

– Le médaillon… Comment, sinon ? soupira-t-il en regardant ailleurs.

– Qui es-tu vraiment ? gronda Ombrage.

– Quelle importance ? Je suis un chasseur de Dragons, qu'il te suffise de savoir cela. Je suis ce que j'ai toujours été et si, autrefois, j'ai été quelque chose d'autre ou quelqu'un d'autre, je l'ai oublié.

– On n'oublie jamais qui l'on est.

– Peut-être pas, reprit le chasseur après un moment. À moins que l'on ait d'horribles fautes à expier… C'est ce que tu veux dire ? Bien, je le sais déjà. Et ce que j'ai fait, je le sais mieux que tu ne le sauras jamais. Mais tu me plais, il y a en toi quelque chose qui me rappelle ce que j'étais autrefois, même dans ta dureté.

Ombrage frissonna.

– Est-ce pour cela que tu ne m'as pas encore livré à l'ennemi ? murmura-t-il.

– C'est pour cela que je vais te donner un conseil.

– Un conseil ! s'exclama le garçon, incrédule.

– Je ne crois pas que tu accepterais de l'aide. En tout cas, pas de moi. Et puis, de toute façon, j'ai autre chose à faire. Ce sera à toi de décider si tu veux suivre ou non mon conseil, mais au moins devras-tu l'écouter.

– Tu ne crois tout de même pas que je vais obéir à un traître !

– Qui sait ! Quand on n'a pas d'autre solution… dit le chasseur avec un sourire amer.

Il fixait les yeux sur Ombrage, comme s'il l'étudiait.

– Il est certains projets que l'on ne peut réaliser qu'en acceptant des compromis, aussi durs soient-ils. Écoute-moi bien : les Loups-Garous traquent les rebelles fugitifs, et ils les arrêteront tous, mais toi, tant que tu resteras dans cette forêt, ils ne pourront pas te retrouver…

– Je ne peux pas rester ici. Je dois aller… commença Ombrage avant de s'interrompre.

Les yeux noirs scrutateurs semblèrent plus profonds, plus brillants.

– Oui, ce que je voulais dire, c'est que tu pourras gagner l'endroit que tu cherches sans quitter cette forêt. C'est ici, autrefois, que passait la Rivière Fée, qui prend sa source au Pic Argenté. Mais cela, tu devrais le savoir, c'était quand le royaume était encore libre…

La silhouette du chasseur de Dragons sembla se redresser et se parer d'une dignité qui, un instant plus tôt encore, était insoupçonnable.

Ombrage plissa le front, se demandant qui était vraiment cet Elfe aux yeux sombres et au visage marqué par les épreuves.

– Comment sais-tu où je dois aller ? demanda-t-il.

Le chasseur dit seulement :

– Suis la vieille route de la rivière. Ce que tu as de

mieux à faire pour tes amis, c'est d'aller jusqu'au bout de ta mission. Que cela te plaise ou non, c'est la seule façon de les aider !

Puis il se retourna et commença à s'éloigner.

– Si tu veux tant aider ce peuple, comme tu le prétends, l'apostropha durement le garçon, pourquoi ne m'aides-tu pas ? Pourquoi ne viens-tu pas avec moi, si tu connais la route ?

Le chasseur s'arrêta un instant et sembla examiner cette idée, puis il baissa la tête et ricana de nouveau, avec une immense tristesse.

– J'ai un vieux compte à régler, mon garçon. Un compte qui ne peut pas attendre, qui ne peut plus attendre… et ma route ne va pas dans la même direction que la tienne. Je te souhaite bonne chance, mais tu en auras. Suis ton étoile et tu en auras…

Il fit quelques pas avant de disparaître entre les arbres.

Soufretin cracha un nuage de fumée et le silence retomba au cœur de la forêt.

Ombrage resta immobile, puis il sentit les griffes du Dragon à plumes s'agripper à son bras. Il le caressa distraitement et dit :

– Tu ne lui fais pas confiance, n'est-ce pas ?

Soufretin souffla et Ombrage soupira.

– Moi non plus. Pourtant… quelque chose me dit que je devrais l'écouter…

Le Dragon éternua des étincelles qui flambèrent devant le nez d'Ombrage. Le garçon prit le médaillon et plissa le front.

Il était tellement abîmé, maintenant, qu'il ne pourrait plus indiquer quoi que ce soit. Il repensa à Regulus et à Robinia, qui avaient affronté la peur, et peut-être la mort, pour lui permettre d'aller jusqu'au bout de sa mission. Et il repensa à Spica et à ses histoires de héros.

Lui, il n'était pas un héros, il n'était qu'un garçon qui n'avait pas la moindre idée du chemin à suivre. Mais il était conscient que, s'il se trompait, il ne serait pas le seul à en payer les conséquences. Il était seul, sans aucun point de repère, dans un endroit inconnu. Tout ce qu'il avait, c'était l'indication du chasseur de Dragons.

Le cœur serré comme dans un étau, Ombrage décida d'appliquer son conseil. Il se mit en route, boitant sur le sentier qu'avait jadis creusé la Rivière Fée.

Le lit de la rivière à sec descendait vers une vallée sombre. C'était le matin, et la faible lueur qui filtrait à travers les feuilles créait une atmosphère irréelle.

Ombrage était fatigué, souffrant. Le terrain, inégal et caillouteux, ne lui facilitait pas la tâche. Plusieurs fois, il tomba en se faisant mal à une jambe. La douleur provoquée par les brûlures du poison du scorpion palpitait, comme si elle était en train de se réveiller.

Ombrage gardait la main sur la garde de son épée, espérant qu'aucun des Loups-Garous ne flairerait son odeur. Et espérant trouver bientôt l'Arbre Maître.

Soudain, une silhouette noire montée sur un cheval parut au milieu des arbres. Un souffle glacial et cruel enveloppa Ombrage et le garçon s'arrêta, le cœur battant.

Soufretin poussa un cri aigu et s'agrippa avec plus de force au bras du garçon.

– Tu avais raison, lui murmura l'Elfe entre ses dents. Je n'aurais jamais dû me fier à ce chasseur de Dragons ! C'était un piège… rien qu'un piège !

35

Aucun espoir !

Regulus observait sa sœur, craignant qu'elle n'éclate en sanglots, mais, après avoir écouté son récit, Spica poussa seulement un soupir.

Tous les Elfes qu'ils avaient libérés faisaient cercle autour d'eux et avaient écouté, eux aussi, en écarquillant les yeux, l'histoire de Regulus et Robinia.

Après quelques instants, Robinia ajouta :

– Je veux savoir s'il y a parmi vous quelqu'un d'assez courageux pour finir ce que votre ami a entrepris ! Moi, je vais aller chercher son corps, coûte que coûte… et l'ampoule qui contient la dernière larme. C'est la seule chose que nous puissions faire. Sinon, le sacrifice d'Ombrage aura été inutile.

– Je viens avec toi ! dit Regulus d'une voix décidée.

– Moi aussi ! s'exclama Spica, et, cette fois, son frère n'objecta pas.

Stellarius se leva et épousseta sa tunique de la main.

– Parfait ! Alors, c'est décidé ! Si vous savez de quel

côté aller, guidez-nous ! Ici, il y a de nombreuses vies qui méritent qu'on se batte pour elles ! Allons-y, en route !

Spica rougit, non seulement parce qu'elle était un peu gênée, mais à cause de ce qu'elle allait dire, puis elle murmura à l'oreille de son frère :

– Je ne sais pas comment cela se fait, mais je sais qu'Ombrage est vivant… Nous le retrouverons !

Ombrage resta immobile, la main sur la poignée de l'épée qui lui avait déjà sauvé la vie une fois. Il n'avait aucun espoir de remporter un combat contre un Chevalier sans Cœur.

Ces ennemis-là, on ne pouvait les vaincre que par la ruse ou par la magie.

Or, dans ce méandre asséché de la Rivière Fée, il était impossible de fuir ou de ruser ; et il ne pouvait pas non plus compter sur la magie.

Le médaillon de la Reine des Fées avait été réduit en morceaux et l'ampoule allait bientôt connaître le même sort.

Il était seul et ne pouvait compter que sur ses propres forces. Soufretin lui-même ne pourrait pas l'aider, cette fois ; il le fit donc descendre de son épaule et le déposa sur un rocher.

– Ainsi, la flèche ne t'avait pas tué, fulmina le Chevalier.

– Il semble que vos armes ne soient pas aussi dangereuses qu'il vous plaît de le croire ! s'exclama Ombrage en rassemblant tout son courage.

Il ne leva pas son épée. Pas encore. Cela aurait prouvé qu'il avait peur et, s'il devait mourir, il le ferait avec dignité, en combattant.

– Rends-toi et je saurai me montrer généreux ! dit le Chevalier d'un ton solennel, surpris par l'attitude hautaine du jeune Elfe.

Ombrage sourit.

– Si tu me veux, il faudra venir me chercher, Chevalier sans Cœur ! gronda-t-il.

Le Chevalier rejeta la tête en arrière avec un rire menaçant.

– C'est vraiment très intéressant. Voilà longtemps que je n'avais pas vu un sot aussi effronté ! Personne ne t'a dit qui j'étais !

– Je le sais parfaitement, mais cela ne m'impressionne pas… siffla-t-il, la tête haute, cherchant, en manière de défi, les yeux rouges sous le casque du Chevalier. Qu'y a-t-il ? Ne me dis pas que tu as peur de te battre avec un jeune Elfe ?

– Personne ne peut tuer un Chevalier sans Cœur ! Et ta mort ne servira à rien. Es-tu certain que c'est ce que tu veux ?

Ombrage leva son épée et la tint fermement dressée à hauteur son visage.

– C'est ce que je veux. Descends de cheval et bats-toi ! cria-t-il.

Le silence s'installa dans le lit de la rivière et sur la forêt. Ombrage essaya de dominer la peur qui croissait en lui et fixa son regard sur son terrible et obscur adversaire.

Il était seul et n'avait aucun espoir.

Il n'avait que son épée et son courage. Même la douleur qu'il éprouvait à la jambe et à l'épaule semblait disparaître derrière cette angoisse qui lui serrait le cœur.

Il ne restait qu'une pensée, terrible et consolante à la fois. Et elle ne le concernait pas, lui, ni le royaume des Forêts…

L'étoile sur son front brilla lorsque le Chevalier sans Cœur descendit de selle et dégaina son cimeterre.

Sa lame lugubre sembla fendre l'air.

Sans bouger, Ombrage observa l'ennemi qui s'approchait et se mettait en garde. Puissant et terrible dans son armure noire, le Chevalier s'arrêta à quelques pas de lui.

– Tu ne gagneras jamais. Tu le sais, n'est-ce pas ? lui dit-il d'un ton menaçant.

L'acier de leurs noirs cimeterres peut briser toutes les épées, toutes les lames, toute matière mortelle… Personne ne peut les vaincre, parce qu'ils ne sont pas faits de chair. Et leur cœur ne peut être transpercé, car, depuis des temps immémoriaux, ils n'ont plus de cœur… C'était un vieux poème que Spica avait parfois chanté devant le feu, dans les soirées d'hiver.

– Tu ne fais que rendre les choses plus compliquées. Et plus douloureuses. Pour toi, évidemment, l'informa le Chevalier.

– Je ne vois pas pourquoi cela devrait t'inquiéter, répondit Ombrage.

Il sentait son désespoir et son courage s'écouler comme du feu dans ses veines et, sans réfléchir, il brandit son épée et attaqua.

Aussi rapidement, le noir cimeterre fendit l'air, dessinant un arc qui bloqua l'épée d'Ombrage avec un tintement argenté.

Poison s'illumina d'éclats verts et les deux lames se figèrent en l'air.

Elle avait résisté ! Son épée était encore intacte !

Les deux adversaires furent également étonnés et Ombrage recula d'un pas, le souffle court. Il s'était attendu à ce que la lame se brise en heurtant le cimeterre du Chevalier, et voilà qu'elle était encore entière, brillant de ce vert acide que lui avait donné le poison du scorpion.

– Tu as là une arme insolite. Mais cela ne te suffira pas, Elfe ! déclara le Chevalier, rageur, en bondissant en avant.

Ombrage se jeta de côté et fit tournoyer son arme pour parer le coup, comme le maître d'armes lui avait appris. Tandis que l'espoir renaissait en lui, sans qu'il s'en rendît même compte, le garçon s'élança tel un combattant aguerri, et il lui sembla que sa fatigue avait disparu.

Il fit de rapides mouvements, attaquant avec des coups furieux et précis qui obligèrent le Chevalier à battre en retraite, pas à pas.

– Il est brave, cet Elfe… Mais si c'est là le mieux que tu saches faire… murmura son adversaire en repartant à l'assaut… tu es mort, de toute façon ! cria-t-il, les yeux rouges brillant au fond du casque sombre.

Ombrage reçut une estocade à l'épaule et à la joue, recula de nouveau, mais tint bon jusqu'à ce que sa jambe droite fléchisse ; il tomba à terre, roula gauchement sur les galets et ne dut qu'au hasard d'éviter le coup qui lui aurait tranché le cou. Il leva le regard et vit le cimeterre tournoyer au-dessus de lui, telle une hache.

Bien qu'il soit exténué et couvert de sang, il se rendit compte que c'était là l'occasion qu'il attendait. Il se mit rapidement à genoux et décrivit avec son épée tendue à bout de bras un arc de cercle qui trancha net les doigts du gant de fer avec lequel son adversaire serrait la poignée de son énorme cimeterre. Le choc fut si violent qu'Ombrage lâcha Poison.

Le Chevalier poussa un rugissement, puis recula en chancelant, observant, incrédule, sa main tranchée : ce jeune homme avait réussi là où tous les autres avaient échoué, des centaines d'années durant. Il l'avait désarmé et blessé d'un seul coup !

– Assez joué ! Il est temps d'en finir ! hurla le Chevalier, furieux, en se jetant sur le garçon.

– Tu avais oublié ce qu'est la douleur, n'est-ce pas ? dit Ombrage, lui-même stupéfait de son exploit.

Mais d'un bond le Chevalier fut sur lui et la main qui lui restait le saisit à la gorge. Ombrage cria tandis que le gant de fer lui serrait le cou.

– Tu meurs… tu le sens ? Tu sens la vie qui s'en va… tu n'as pas peur de mourir ? siffla-t-il de son haleine glaciale.

La tête du garçon se mit à bourdonner, ses mains cherchèrent Poison à tâtons. L'épée était son seul espoir. Malgré le venin du scorpion, ou peut-être grâce à lui, la mystérieuse épée pouvait atteindre le Chevalier sans Cœur. Et il ne voulait pas se rendre. Pas maintenant.

Peut-être, pensa-t-il, l'esprit plein de confusion et de terreur, n'y arriverait-il pas cette fois-ci. Verser la dernière larme sur l'Arbre Maître… rendre aux Forestiers leur royaume et leur liberté.

Tandis qu'il cherchait désespérément à survivre, ses doigts trouvèrent la garde de Poison et il sentit l'épée glisser dans sa main comme si elle avait eu une volonté

propre. C'est à peine s'il pouvait encore respirer, mais il eut encore la force de planter la pointe de Poison dans la jambe du Chevalier.

Le géant poussa un cri de douleur et relâcha suffisamment sa prise pour qu'Ombrage puisse se dégager.

L'oxygène emplit de nouveau ses poumons, ce qui le fit tousser. Il saisit son épée à deux mains et, tremblant comme une feuille, gronda :

– Tu as raison. Il est temps d'en finir !

Et il plongea la lame verte dans le thorax du Chevalier.

Le casque noir se balança, les deux petites flammes rouges des yeux se remplirent de stupeur et de terreur.

– La Reine Noire t'anéantira ! rugit le Chevalier.

Après avoir prononcé ces mots, l'armure retomba à terre comme une coquille vide ; la force qui l'animait s'était dissipée. Le cheval noir, qui, jusque-là, n'avait pas bougé, hennit et disparut au galop dans la forêt. Soufretin grogna et sauta de la pierre sur laquelle Ombrage l'avait déposé.

Le garçon retira Poison de l'armure vide, et tomba à terre.

Au bout d'un moment qui parut interminable, il eut de nouveau la force d'ouvrir les yeux. La langue rêche de

Soufretin lui râpait la joue et le garçon réussit à se relever et à se traîner, pas après pas, sur la berge de la Rivière Fée.

Avec l'énergie du désespoir, la respiration haletante et la vue qui s'obscurcissait, il suivit le petit Dragon qui semblait lui ouvrir le chemin.

Il rejoignit ainsi la Clairière des Treize Arbres Sages.

Il contempla ces lieux, surpris, comme s'il les avait connus depuis toujours, comme s'il avait toujours très bien su quel aspect ils devaient avoir.

Traînant sa jambe blessée, il se dirigea vers l'Arbre Maître, un gigantesque hêtre qui se détachait au milieu du cercle formé par les autres arbres, et il s'appuya au tronc gris, y laissant une empreinte de sang.

« J'y suis... » pensa-t-il, les larmes aux yeux.

Il laissa tomber son épée à terre et, le regard embrumé, plongea la main tremblante dans sa besace. Le Dragon à plumes sauta sur l'écorce de l'arbre, en le considérant avec attention.

– Oui, tu as raison, mon ami. Nous avons réussi, dit Ombrage en sortant l'ampoule.

Elle était toujours intacte. Après tout ce qui s'était passé ! C'était un vrai miracle !

Le garçon songea à Regulus, qui avait prévu cela, et il esquissa un sourire.

Une dernière feuille, peut-être la dernière qui ne fût ni sèche ni flétrie dans tout le royaume, s'agita sur une branche noueuse de l'arbre.

La dernière feuille, le dernier espoir.

Épuisé par le combat avec le Chevalier sans Cœur, Ombrage, que, en un jour désormais lointain, sa mère et son père avaient baptisé du nom d'Audace, retourna l'ampoule et versa la dernière larme.

Et il espéra de tout son cœur que cette dernière, cette minuscule, cette insignifiante goutte soit suffisante.

– S'il te plaît… murmura-t-il, sans respirer, la regardant couler lentement dans l'air silencieux de la clairière.

La goutte humecta les racines de l'Arbre Maître, les imprégna et disparut.

Puis Ombrage s'écroula.

Il sembla que le temps s'était retiré du monde.

Comme emporté au loin par un courant, sur la houle d'une mer paisible, il eut l'impression de voir la dernière feuille se détacher de la branche et tomber à terre.

Il eut aussi l'impression que tout était fini.

Un vent glacial souffla sur lui et ses yeux, trop las, se fermèrent.

Il entendit des voix, mais elles lui semblèrent très lointaines, et il eut l'impression de rêver.

Il était de nouveau à la maison…

– Non ! s'écria Regulus avec un gémissement de colère.

Spica, au bord de la clairière, jeta son arc, se précipita et fut la première à atteindre la silhouette renversée sur les racines du grand hêtre, au moment où la dernière feuille tombait sur le dos d'Ombrage. Elle s'agenouilla en tremblant près du corps du garçon, prit son visage entre ses mains, en sanglotant.

C'est à cet instant que…

36
Ensemble

Tous les regards, curieux, fébriles, étaient fixés sur les quatre jeunes gens.

– La terre a tremblé ! Je vous jure que la terre a tremblé, et puis… des bourgeons ont commencé à pousser sur les branches… et toutes les feuilles noires de la Forêt Brumeuse sont tombées d'un coup et il en est poussé de nouvelles, vertes comme l'émeraude ! Et aussitôt après, j'ai pensé à la phrase sur la tombe de Juniperus : *le poison sera guérison, et la mort vie redeviendra*. Eh bien, ma parole ! je n'avais jamais rien vu de pareil ! s'exclama Regulus avec un rire joyeux.

– En plus, l'eau s'est remise à couler à la source du Pic Argenté ! Elle coule comme autrefois dans le lit de la vieille Rivière Fée, ajouta Robinia en serrant la main d'Ombrage. Bientôt, les courants chasseront les Abyssaux du lac…

Le garçon, encore étourdi, cligna des paupières et demanda :

– Et les Chevaliers sans Cœur ? Et les Loups-Garous ?

Stellarius fit un geste de la main.

– Les quelques Chevaliers qui restaient se sont enfuis, les Loups-Garous combattent encore et le roi tient en son pouvoir la Cité Grise. Mais, maintenant que les Elfes des Forêts sont libres et qu'ils sont armés de belles flèches à pointe d'argent, ils ne se laisseront plus battre si rapidement. La première fois, le Roi Garou n'a pas rencontré beaucoup de résistance, car il a pris tout le monde par surprise, mais je parie que la ville sera bientôt libérée. Oh, la lutte est loin d'être terminée, mais la reconquête est commencée !

– Pour être sincère, je ne comprends pas encore comment cela est possible, mais je me contente de constater que ça l'est ! s'exclama Regulus d'un ton joyeux.

– Combien de fois faudra-t-il te l'expliquer, mon garçon ? soupira le mage de son ton éternellement bougon. Si la Rivière Fée s'appelle ainsi, c'est pour une bonne raison… tu ne crois pas ? Dans chaque région du royaume de la Fantaisie, il existe une source alimentée par l'eau du royaume des Fées ! Ce n'est pas de l'eau ordinaire, bien que cela aussi soit un bien très précieux… mais à quoi bon t'expliquer tout cela, tu me le redemanderas dans quelques secondes…

– Eh bien, vraiment… objecta Regulus.

– Et de toute façon… ajouta Robinia.

– Oh ! Voulez-vous bien cesser tous les deux, les apostropha Stellarius. Aujourd'hui, Ombrage a vaincu un Chevalier sans Cœur. Ce fut une aventure épuisante, et il a besoin de repos !

Le silence retomba dans la petite tente où ils s'étaient réunis.

– C'est vrai, comment as-tu fait ? l'interrogea Brugus, qui jusqu'alors restait muet dans son coin.

Ses blessures s'étaient cicatrisées et son visage paraissait apaisé.

– Ce n'est pas moi, dit Ombrage. Je ne sais même pas comment, c'est Poison qui… déclara enfin le garçon.

Le mage ricana.

– Oui. Mais tu as eu l'audace de la lever contre ton ennemi, même si tu pensais qu'il était impossible de remporter ce duel. Il semble que chaque prénom a son destin… Les cruels sbires de la Reine Noire ont été entraînés à résister à tous leurs ennemis, mais pas aux armes de leurs propres alliés. Le scorpion que tu as vaincu avait été placé là par la Reine Noire, très probablement pour éviter que quelqu'un puisse atteindre l'Arbre Maître ! La Dame de tous les Territoires Obscurs n'avait pas songé à l'alliance d'un garçon valeureux et du poison mortel de son scorpion ! Elle n'imaginait pas qu'un jour sa cruauté se retournerait contre elle !

– Juniperus le savait, lui ! murmura Ulmus.

– Comment pouvait-il le savoir ? demanda Regulus.

– Il avait le don de voir ce qui est invisible aux autres.

À ces mots, Robinia pensa à son frère Pyraster, qui avait trahi son peuple, et elle se renfrogna. Regulus s'approcha et lui prit la main.

La jeune Elfe soupira et, se tournant vers Ombrage, murmura :

– Je suis désolée de t'avoir agressé de cette façon… Je… ton père et mon frère… balbutia-t-elle, cherchant des forces en serrant la main de Regulus.

– Peu importe ! dit Ombrage.

La jeune fille se sentit soulagée.

– Oh, j'allais oublier… Psaltérine aussi a été libérée et elle te remercie beaucoup, mon garçon ! Elle a réparé ta boussole ! ajouta Stellarius. Naturellement, tous, nous te sommes infiniment reconnaissants ! Et je crois vraiment qu'il y a quelqu'un qui devrait… commença-t-il à dire.

À cet instant, on entendit des voix et des pas pressés qui s'approchaient de la tente. Une frêle silhouette, portant un arc sur l'épaule, le visage pâle, encadré de

courts cheveux blonds et une timide étoile sur le front, entra sous la tente.

Stupéfait, Ombrage crut que sa vue le trompait.

Stellarius se leva et invita Regulus et Robinia à sortir, puis il aida Brugus et la vieille Ulmus à se lever. Enfin, il se retourna vers Ombrage et vers Spica qui paraissaient tous deux avoir perdu la parole, et il sortit en marmonnant d'un air amusé :

– Ah ! Ces jeunes !

– Je rêve ! balbutia Ombrage.

Elle sourit et fit timidement un pas en avant.

– J'espère que ce n'est pas un cauchemar ! dit-elle.

Le garçon éclata d'un faible rire et ajouta :

– Qu'est-il arrivé à tes cheveux ?

Elle rit, en rougissant, et c'est alors seulement que le garçon comprit que Spica était *vraiment* là, en chair et en os, devant lui.

– Eh bien, d'après Stellarius, on dirait que je suis passée sous la main d'un tondeur de brebis… marmonna-t-elle, une main dans ses cheveux très courts. Bah, ça n'était pas très commode pour un archer… Au moins, ils ne s'accrochent pas partout, justifia-t-elle.

Ombrage lui sourit, et l'étoile sur le front de la jeune fille scintilla pour la première fois depuis qu'ils s'étaient séparés. Cela lui rappela l'énigme qu'il avait lue à la fontaine, et ses yeux se remplirent d'incertitude.

– Qu'y a-t-il ? Tu n'es pas content de me voir… n'est-ce pas ? dit-elle. Je sais, tu ne voulais pas que je te suive, mais je…

Ombrage secoua la tête.

– C'est seulement… cet arc… m'a rappelé quelque chose…

Les lèvres de Spica s'élargirent en un sourire plus décidé.

– Oh. Je sais. *La chasse enfin sera lancée jusqu'à ce que la Sorcière soit blessée !* récita-t-elle d'une voix ferme. *Arc, épée, oie, Dragon s'uniront… et cette horde mortelle vaincront.*

Ombrage la regarda, les yeux grands ouverts, et elle sourit de plus belle.

– Que crois-tu, Regulus m'a raconté tous les détails. Et cette devinette a quelque chose de familier, n'est-ce pas ? Tu as l'épée qui peut tuer les Chevaliers sans Cœur, moi un arc magique… Tu ne pourras pas te passer de moi, à l'avenir ! ajouta-t-elle en scrutant le visage du garçon de ses grands yeux clairs.

Ombrage poussa un profond soupir.

– Tu crois donc que nous devons partir à la recherche d'une oie et d'un Dragon ? demanda-t-il en souriant.

Les yeux de Spica étincelèrent, heureux.

– Ensemble ! déclara-t-elle avec détermination.

Peut-être l'avenir serait-il difficile, mais pas si elle était au côté d'Ombrage.

Il acquiesça et jeta un regard à Poison, qui était posée sur une vieille souche.

– Oui. S'il n'existe qu'une seule possibilité de vaincre les Sorcières, une fois pour toutes… ça vaut la peine d'essayer ! murmura-t-il avec assurance.

– Selon Stellarius, la vieille pierre usée qui nous a ouvert le Miroir des Hordes ouvrira d'autres passages obscurs. Nous pourrons vraiment alors tenter de libérer tous les royaumes perdus… En tout cas, dès qu'il en aura fini de lancer ses enchantements de protection, ajouta-t-elle en soupirant.

Ombrage la contempla pendant un long moment, puis, comme s'il s'en souvenait seulement, il demanda :

– Et le chasseur de Dragons ? Qu'est-il devenu ? L'a-t-on attrapé ?

Spica secoua la tête.

– Je ne sais pas, mais ne t'inquiète pas pour lui. Pour l'instant, tu ne dois plus penser qu'à une chose : reprendre des forces !

Le garçon acquiesça de nouveau et il entendit les voix de Regulus et de Robinia, au-dehors, qui se chamaillaient. Comme toujours.

Spica et Ombrage échangèrent un regard et éclatèrent d'un rire joyeux.

« C'est ainsi que, au cœur de l'ère de la nuit,
alors que les Sorcières avaient envahi
d'innombrables royaumes pacifiques,
deux étoiles brillèrent dans le ciel
obscurci par les noirs complots de la cruauté.
Deux étoiles, éclatantes et indivisibles,
intrépides et invincibles,
puisque le chemin de l'une suivait
de près celui de l'autre,
puisque l'une soutenait l'autre.
Leur éclat transperça la noire couverture
qui étouffait les royaumes perdus
et alluma d'autres lueurs, réveilla les cœurs et les esprits
de ceux qui croyaient que tout était fini.
La Reine Noire ne craignit pas les deux petites étoiles
dans son ciel couleur de nuit. Elle ne trembla pas.
La présomption fut sa plus grande erreur.
Le courage et l'espoir de ces étoiles
furent la plus grande richesse de notre monde. »

Mage Fabulus, *Chroniques du Royaume*
de la Fantaisie, conclusion du Livre Premier.

Table

Troisième partie ~ La larme

Quatrième partie ~ Nouvelle feuille

ROYAUME DES FORÊTS
PIC ARGENTÉ
GROTTE DU SCORPION
LAC DE FEU
FORÊT PIERREUSE
CRINIÈRE DU CHEVAL
RIVIÈRE FÉE
LA FOSSE
HAUTEURS BOISÉES
VERS LES VIEUX VILLAGES
FORÊT DES BOURGEONS VERTS
VIEILLE PRISON
PORTAIL D'OBSIDIENNE